P9-DIJ-311
dtv
premium

Mark
Leonard

Warum Europa die Zukunft gehört

Aus dem Englischen
von Kurt Neff

Deutscher Taschenbuch Verlag

Für Dick, Irène, Miriam und Gabrielle

Der Inhalt dieses Buches wurde auf einem nach den Richtlinien des Forest Stewardship Council zertifizierten Papier der Papierfabrik Munkedal gedruckt.

Deutsche Erstausgabe
März 2007

Titel der englischen Originalausgabe: ›Why Europe will run the 21st Century‹,
HarperCollins Publishers Ltd, London 2005

Umschlagkonzept: Balk & Brumshagen
Satz: Greiner & Reichel, Köln
Gesetzt aus der Minion 10,5/12,75˙
Druck und Bindung: Kösel, Krugzell
Gedruckt auf säurefreiem, chlorfrei gebleichtem Papier
Printed in Germany
ISBN 978-3-423-24526-5

INHALT

VORWORT ZUR DEUTSCHEN AUSGABE

Warum das 21. Jahrhundert trotz allem Europa gehört

Das Nein zur europäischen Verfassung aus Frankreich und den Niederlanden überrollte Europas politische Klasse wie ein Tsunami – zurück blieben zerstörte politische Karrieren, ein seiner Bindungskraft beraubter Verfassungsvertrag und eine nach zwanzig Jahren kontinuierlichen Fortschreitens mit einer Vollbremsung abrupt zum Stehen gebrachte Integration von oben.

Dies könnte in den kommenden Jahrzehnten die Entwicklung Europas verändern. Fortan wird eine Reihe von Ländern – darunter Frankreich und Großbritannien – größeren Vertragsänderungen nicht ohne vorheriges Plebiszit zustimmen können.

Nicht jeder ist der Meinung, dass Volksentscheide der beste Weg sind, um über so enorm diffizile Fragen wie den Wortlaut komplexer zwischenstaatlicher Vertragswerke abzustimmen, aber zweifellos werden sie die europäischen Staats- und Regierungschefs dazu zwingen, sich stärker um die öffentliche Meinung zu kümmern.

Die unmittelbare Mitwirkung der europäischen Bürger an der Konstruktion Europas wird den Traum von einem bundesstaatlich verfassten Alten Kontinent zunichte machen, denn die Bürger werden niemals für ein Regierungssystem mit Zentrum in Brüssel votieren.

Aber das europäische Projekt an sich ist deswegen nicht tot, und es liegt auch nicht in den letzten Zügen. Die Gründe, die für die Gemeinschaft sprechen, sind so gewichtig wie eh und je: Es geht darum, mehr Frieden, Wohlstand und Demokratie in die Welt zu bringen und sich in dieser Welt aufstrebender neuer Mächte – wie etwa Indien und China – Gehör zu verschaffen.

Und hat nicht die durch die Plebiszite angestoßene öffentliche Debatte gezeigt, dass Europa auf dem Weg der politischen Reifung ist? Ein stärkeres, weil stärker geeintes Europa kann nur mit Zustimmung seiner Bürger zustande kommen. Und jetzt sieht sich die politische Klasse vor die Notwendigkeit gestellt, um diese Zustimmung zu kämpfen.

Dieses Buch wurde geschrieben, bevor der Ausgang der Plebiszite zur Verfassung feststand. Es verficht die These, dass Europa die dominierende politische Einflussgröße des 21. Jahrhunderts sein wird, weil es als einziges politisches Projekt der Welt das nötige Rüstzeug besitzt, um die zerrüttenden Auswirkungen der Globalisierung abmildern zu können. Das gilt heute mehr denn je, und darum hoffe ich, dass mein Buch in der nach den Volksentscheiden entbrannten Debatte über Europas Zukunft als Orientierungshilfe dienen kann.

Europas neue politische Energie

Man hat leicht sagen, dass die Europäische Union (EU) sich seit ihren Anfängen vor über fünfzig Jahren in einem Krisenzustand befindet. Das französische Parlament lehnte 1954 den Vertrag über die Europäische Verteidigungsgemeinschaft und in den 1960er Jahren den Beitritt der Briten zur Europäischen Wirtschaftsgemeinschaft ab. Ein harter Schlag war Dänemarks »Nej« zum Maastricht-Vertrag im Jahr 1992 und dann zur Einheitswährung im Jahr 2000. Die Iren verweigerten sich 2001 dem Vertrag von Nizza, und die Schweden lehnten 2003 den Beitritt zur Eurozone ab. Aber das europäische Projekt hat alle diese Rückschläge unbeschädigt weggesteckt, ja fand sich nach jedem gestärkt.

So betrachtet ist die gegenwärtige »Krise« schlichtes *business as usual*. Weder das französische noch das niederländische Nein galten der EU als solcher; in beiden Fällen handelte es sich um ein Aufbegehren gegen ungeliebte heimische Eliten. Soweit im Streit der Meinungen überhaupt Europapolitik thematisiert wurde, zogen nicht EU-Befürworter und EU-Gegner, sondern die Anwälte des Sozialstaates und die Vorkämpfer eines liberalen Expansionsstrebens gegeneinander zu Felde.

Vor der Europawahl 2004 gab es für die EU-Bürger keine effektive Möglichkeit, darüber abzustimmen, was für ein Europa sie wollten (oder dies auch nur zu artikulieren). Die vorausgegangenen Wahlen zum Europaparlament waren alle keine Richtungswahlen, sondern lediglich willkommene Gelegenheiten, die Regierung des eigenen Landes für unpopuläre Maßnahmen abzustrafen. Bei nationalen Wahlen geht es in der Regel um die Gesundheits-, Bildungs-, Arbeitsmarkt-, Steuerpolitik oder sonstige Sparten der Politik, nur nicht um die Europapolitik. Selbst Referenden stellten den Wähler in der Vergangenheit nur vor eine Pseudo-Entscheidung zwischen »mehr« oder »weniger« Europa und unterschlugen die Möglichkeit der Wahl zwischen unterschiedlichen Visionen von der europäischen Integration; ein klassischer Fall war das französische Referendum über den Maastricht-Vertrag 1992, bei dem im Lande kaum über die »Konvergenzkriterien« der Wirtschafts- und Währungsunion diskutiert wurde, mit denen die hochwichtigen Grenzen der Inflation und der Staatsverschuldung festgelegt wurden. Der Stimmbürger sah sich lediglich mit der Frage konfrontiert, ob er für oder gegen die europäische Integration sei.

Heute klingt die Debatte über das Thema »Europa – der richtige oder der falsche Weg?« allerdings allmählich aus. Diese Frage wird von einer anderen, hitzig umkämpften abgelöst: »Europa der Rechten oder der Linken?« Die Europawahl 2004 war die erste ihrer Art, die unmittelbaren Einfluss auf die Berufung des Kommissionspräsidenten hatte. Dass der portugiesische Wirtschaftsliberale und Anwalt der vollen Marktfreiheit José Manuel Durão Barroso zum Präsidenten der Europäischen Kommission ernannt wurde, verdankt er dem Wahlerfolg der Mitte-Rechts-Parteien. Die massive »Non à la constitution«-Kampagne im Frankreich des Jahres 2005 war dann eine reaktive Kampfansage an Barrosos Agenda, an seine Vision von einem Europa im Zeichen eines ungebremsten Wirtschaftsliberalismus. Es war keine Kampfansage an die europäische Integration als solche.

So sehen eben die Wege aus, auf denen politisch-wirtschaftliche Staatenverbindungen zur Reife gelangen. Bei den Pionieren der Europäischen Gemeinschaft für Kohle und Stahl (»Montanunion«) von 1951, allen voran Frankreich und Deutschland, war die Erinnerung an den Krieg noch frisch, und das europäische Projekt war für sie eine heikle Sache, gleichsam ein Fahrrad, auf dem man unablässig in die Pedale treten musste, damit es nicht umfiel. Fünfzig Jahre später konnte ein französisches »Non« unmöglich ein halbes Jahrhundert europäischer Integration auslöschen. Die EU mit ihrem 80 000 Seiten umfassenden Regelwerk, ihrem gemeinsamen Markt, ihrer Einheitswährung und ihren im Rahmen der gemeinsamen Außen- und Sicherheitspolitik zunehmend kooperierenden Streitkräften (so bisher schon in Bosnien, Mazedonien und der Demokratischen Republik Kongo) – diese EU wird bleiben.

Die gute Nachricht ist, dass jene politische Krise die europäischen Regierungen zwingt, sich mit den Wünschen der Bürger ihres Landes zu befassen. Das zweifache Nein war nicht zuletzt eine Ohrfeige für politische Eliten, die den Kontakt zum Volk verloren hatten, war der lautstarke Protest gegen einen Erweiterungsprozess, über den nie richtig diskutiert worden war, und war die Zurückweisung des Stils, in dem ein politisches Projekt fern vom Alltagsdasein der Bevölkerung hermetisch abgeschottet durchgezogen worden war. Die Revolte der Bürger zwingt die politischen Führungseliten der EU zu einer Verhaltensänderung.

Warum die EU für die Welt eine wichtige Größe ist

Während die Bedeutung des europäischen Projekts in den europäischen Ländern selbst gelegentlich angezweifelt wird, ist die übrige Welt von seiner Wichtigkeit mittlerweile fester denn je überzeugt.

Zu seinem ersten Besuch in einem überseeischen Land reiste US-Präsident George W. Bush im Februar 2004 nicht etwa nach Peking, Delhi oder Moskau, sondern nach Brüssel: Er hatte erkannt, dass, anders als in den vergangenen 50 Jahren, derzeit die USA dringender auf das geeinte Europa angewiesen sind als umgekehrt.

Die Menschen, die im Dezember 2004 in der Ukraine auf die Straße gingen, wollten ihren Traum von der EU-Mitgliedschaft ihres Landes der Verwirklichung näherbringen, und EU-Diplomatie trug dann entscheidend mit bei zum unblutig-glücklichen Abschluss der »Orangenen Revolution«.

In der Türkei setzte die Regierung acht Gesetzesänderungspakete durch (u. a. zur Abschaffung der Todesstrafe, Beendigung der Folter in Gefängnissen, Etablierung von Minderheitenrechten), um die Bedingungen für die Aufnahme von Verhandlungen über den Beitritt des Landes zur EU zu erfüllen.

Nach Jahren des glücklosen Operierens der UNO in Bosnien-Herzegowina wacht dort als hoher Repräsentant der Internationalen Gemeinschaft ein Europäer, unterstützt von einer multinationalen europäischen Friedenstruppe (EUFOR), über die Stabilisierung und friedliche Weiterentwicklung des Landes. In Ramallah und Gaza hat die Europäische Union die Ausbildung und Ausrüstung der palästinensischen Polizei übernommen.

Im »Großraum Mittlerer Osten« (wie er auf dem G8-Gipfel 2004 von George W. Bush definiert wurde) werden entscheidende Reformanstöße davon ausgehen, an welche Bedingungen Hilfeleistungen seitens der EU und Handelsabkommen geknüpft sein werden. Weltweit sind über 70 000 Soldaten aus der EU in Friedensmissionen im Einsatz, so auch jüngst im Libanon.

Natürlich kann sich der globale Einflussbereich der Europäer noch lange nicht mit dem der Amerikaner messen: In Nordkorea oder Pakistan interessiert die Außenpolitik Brüssels herzlich wenig.

Aber der Einflussbereich der Europäischen Union wächst ständig. Außer der EU-Bevölkerung, deren Kopfzahl mittlerweile auf

450 Millionen gestiegen ist, sind 1,3 Milliarden Menschen in rund 80 Ländern – in der ehemaligen Sowjetunion, auf dem Balkan, in Nordafrika, im Mittleren Osten und in Schwarzafrika – auf den Handel mit EU-Ländern sowie auf deren Kredite, Auslandsinvestitionen und Entwicklungshilfe angewiesen.

Und dank ihrer Bemühungen, überall auf dem Globus Bundesgenossen zu gewinnen, bestimmt die Europäische Union in zunehmendem Maß die Spielregeln auf der weltpolitischen Bühne. In der Periode globaler Unsicherheit nach dem zweiten Weltkrieg riefen die Vereinigten Staaten die Institutionen ins Leben, die zur Stabilisierung der Weltlage beitrugen – die NATO, die Vereinten Nationen, den Internationalen Währungsfonds und die Weltbank. Inzwischen haben die USA jedoch dieses Feld geräumt und es der EU überlassen, nach dem Ende des Kalten Krieges Ordnungsstrukturen aufzubauen, die die Herausforderungen der Globalisierung bewältigen helfen. Europäer leisteten unter dem ersten Generaldirektor der Welthandelsorganisation (WTO), dem unermüdlich tätigen Iren Peter Sutherland, Pionierarbeit beim Aufbau der neu gegründeten Institution. Um den Klimaschutz besorgt, ratifizierten und implementierten die EU-Staaten das von US-Präsident Bush für tot erklärte Kyoto-Protokoll. Ebenso verfuhren sie im Fall des Internationalen Strafgerichtshofes. Und was den Ordnungsrahmen für die Wirtschaft betrifft, hat man sogar dem mächtigen Microsoft-Konzern beigebracht, dass er sich in der EU an die von Brüssel vorgegebenen Leitlinien zu halten hat.

In der ihr eigenen langsamen und chaotischen Vorgehensweise bildete die EU unter Einsatz ihres Marktpotenzials und ihrer Diplomatie einen alternativen Machttypus aus, den ich als »transformative Macht« bezeichnen möchte. Diese Form politischer Macht, die ich in den elf Kapiteln dieses Buches ausführlich beschreibe, ist auf dem Feld der internationalen Beziehungen die wichtigste Entwicklung seit der Schaffung des Nationalstaates.

Auf dem Weg in ein neues europäisches Jahrhundert

Die Fronten sind abgesteckt für einen Kampf zwischen dem Lager der Gegner von Erweiterung und Reform und dem Lager derer, die überzeugt sind, dass die EU am besten fährt, wenn sie einerseits den Blick über den eigenen Vorgarten hinaus richtet und andererseits überholte Einrichtungen wie die gemeinsame Agrarpolitik reformiert. Dieses Buch will ein Beitrag zu der laufenden Debatte sein, will werben für eine selbstbewusste, weltoffene Europäische Union mit globalen Interessen und, vor allem, globalem Verantwortungsbewusstsein. Es plädiert für ein »Projekt ›Auf in ein neues europäisches Jahrhundert!‹«, dessen Wegmarken folgende sind:

- eine Reform der europäischen Volkswirtschaften und Gesellschaftsmodelle mit dem Ziel, sie für das Zeitalter der Globalisierung fit zu machen
- ein europäisches Außenministerium samt diplomatischem Dienst, mit dem Europa eine Stimme bekommt, die in der Welt gehört wird
- die Öffnung der Grenzen für geregelte Zuwanderung
- Umweltschutzmaßnahmen auch über das Kyoto-Protokoll hinaus
- die Fortsetzung der EU-Erweiterung und die Entwicklung von Programmen für den Umbau des jeweiligen Systems in den neuen Nachbarstaaten der EU
- ein demokratischeres Procedere im EU-Apparat durch eine fünfjährige Zwangspause für Vertragsänderungen sowie durch die Erweiterung und Aufwertung der Rolle der nationalen Parlamente.

Diese Sicht der Dinge beginnt sich durchzusetzen. In allen EU-Ländern wird die Frage debattiert, wie europäische Werte und soziale Sicherheit mit der Globalisierung der Wirtschaft in Einklang zu bringen sind.

Ungeachtet des lautstarken Geredes vom Ende der Erweiterung ist die EU bis jetzt allen in dieser Richtung eingegangenen Verpflichtungen nachgekommen; so ist sie zum vorgesehenen Termin in Beitrittsverhandlungen mit der Türkei eingetreten, die Aufnahme Rumäniens und Bulgariens wurde – allerdings unter strengen Maßgaben – beschlossen und der Prozess der Ratifizierung der Beitrittsverträge in Gang gesetzt.

Ein halbes Jahrhundert lang hat man das geeinte Europa als Problemlösung betrachtet, heute betrachtet man es viel zu oft als das Problem selbst.

Dieses Buch vermag hoffentlich zu zeigen, dass die europäische Integration im 21. Jahrhundert eine ebenso überzeugende Antwort auf die Globalisierung ist, wie sie es im 20. Jahrhundert auf das Problem des Krieges war.

Mark Leonard

EINLEITUNG

Die Macht der Ohnmacht und die Ohnmacht der Macht: Warum das 21. Jahrhundert Europa gehört

Am Rande des Lafayette Parks an der Pennsylvania Avenue in Washington, in Sichtweite des Weißen Hauses, sitzt eine Frau mittleren Alters auf einer Holzkiste. Sie hat ein wettergegerbtes Gesicht, trägt eine mächtige braune Perücke und heißt Concepcion Picciotto. Um sie herum sind handgemalte Plakate aufgestellt, auf denen atomare Abrüstung eingefordert wird. Jedem Passanten, der neugierig stehen bleibt, drückt sie ihre Flugblätter in die Hand. Diese außergewöhnliche Frau hält hier seit August 1981 ununterbrochen Mahnwache: 24 Stunden am Tag, sieben Tage in der Woche. In der Nacht schläft sie nicht länger als drei bis vier Stunden, und das im Sitzen, um nicht gegen die im District Columbia geltenden strengen Gesetze gegen Landstreicherei zu verstoßen. Angesichts solcher Überzeugungstreue und Geradlinigkeit kann man sich einer gewissen Rührung nicht erwehren. Aber die Aussichtslosigkeit eines Anliegens, dem Concepcion Picciotto die besten Jahre ihres Lebens geopfert hat, stimmt auch traurig.

Die meisten Passanten haben schnell heraus, dass Concepcion Europäerin ist. Concepcions Glaube an den Weltfrieden ist in amerikanischen Augen ebenso ein Zeichen der Schwäche und Weltfremdheit wie Europas Vertrauen auf die Herrschaft des Völkerrechts und die Völkergemeinschaft mit ihren Institutionen. In beidem sehen Amerikaner einen kostspieligen Selbstbetrug, den sich die USA in der Post-9/11-Ära nicht mehr leisten können. Ja, für nicht wenige von ihnen verkörpert die Friedensaktivistin den Inbegriff der europäischen Position: Trägheit, Trittbrettfahren, verstiegenen Idealismus und Schwäche. Sie lebt von Spenden und genießt den Schutz der Polizei, ohne einen einzigen Cent zu deren Unterhalt beizusteuern. Gleichwohl erdreistet sie sich, vor den Toren des Weißen Hauses herumzulungern und an dem Verhalten ihrer Ernährer und Beschützer zu mäkeln.

Viele Europäer sehen das ähnlich. Nach gängiger Auffassung ist Europas große Zeit vorbei. Der Alten Welt mit ihrem Mangel an visionärer Kraft, ihrer Vielstaaterei, dem verbohrten Festhalten an Rechtsvorschriften, der fehlenden Bereitschaft, militärische Macht zu demonstrieren und einer schwächelnden Wirtschaft stehen die Vereinigten Staaten gegenüber, ein Land, das stärker ist als selbst das römische Imperium auf dem Höhepunkt seiner Macht und das keine Bedenken hat, seine Ziele mit Gewalt durchzusetzen. In den kommenden fünfzig Jahren, so heißt es, wird das »American Empire« das Sagen haben, ehe dann die Chinesen und die Inder in der zweiten Jahrhunderthälfte das Kommando übernehmen werden.

Doch das Problem ist in Wahrheit nicht Europa, sondern unsere überholte Auffassung von Macht.

Die Ohnmacht der Macht

Bei allem Gerede über das amerikanische Imperium haben die letzten Jahre vor allen Dingen die Grenzen der amerikanischen Macht aufgezeigt. Der Vorsprung der amerikanischen Wirtschaft vor der jeder anderen Nation ist dahin. 1950 betrug das Bruttoinlandsprodukt (BIP) der USA noch das Zweifache des westeuropäischen und das Fünffache des japanischen BIP; heute ist es genauso groß wie das BIP der EU und nicht einmal mehr doppelt so groß wie das Japans.[1] Die politische Macht der Vereinigten Staaten ist im Schwinden begriffen: Dass europäische Staaten und selbst von den USA wirtschaftlich so abhängige Länder wie Mexiko und Chile sich gegen den Irakkrieg wenden konnten, hat gezeigt, dass es nicht mehr so teuer zu stehen kommt wie ehedem, Amerika die kalte Schulter zu zeigen. Unangefochten ist die amerikanische Führungsrolle nur in zweierlei Hinsicht: nämlich was die Fähigkeit anbelangt, siegreich kostenintensive konventionelle Kriege zu führen und die amerikanische Popkultur überall auf der Welt zu verbreiten.[2] Der Harvard-Politologe Joseph Nye hat diese beiden Formen der Machtausübung als »harte« und »weiche« Form charakterisiert – im Hinblick auf die Fähigkeit, den eigenen Willen mal mit Zwang, mal dank der Anziehungskraft durchzusetzen. Aber die Wirkung beider Machtfaktoren lässt nach.[3]

Terrorismus und Massenvernichtungswaffen ermöglichen es schwachen, aber zu allem entschlossenen Gegenspielern, den Militärapparat der Supermacht zu einem untauglichen Instrument zu machen.[4] Und indem die Bush-Regierung ständig mit Militärschlägen gegen »Schurkenstaaten« droht, fordert sie diese Taktik geradezu heraus. Hinzu kommt, dass diese Regierung im selben Maß, wie sie besessen die »harte« Macht der USA ausbaut, die »weichen« Machtfaktoren aushöhlt: Die Erinnerung an ein Amerika, das man einmal als Retter erlebt hat, wird verdrängt von Befürchtungen hinsichtlich der Instabilität, die der Krieg gegen den Terror verursacht hat. David Calleo meint: »Sieht das lässige Europa die Welt als einen Ort an, wo alle potenzielle Freunde sind, so lebt das martialische Amerika in einer Welt, in der jede unabhängige Macht ein potenzieller Feind ist.«[5] Das Paradox dabei ist: Je mehr dieses janusköpfige Imperium seine Stärke herauskehrt, desto weniger ist es in der Lage, seine Ziele auf globaler Ebene zu erreichen.

Um zu verstehen, was das 21. Jahrhundert ausmacht, müssen wir ein völlig neues Verständnis von Macht entwickeln. Die großspurige Floskel vom »amerikanischen Imperium« täuscht über die Tatsache hinweg, dass der militärische und diplomatische Einfluss der Vereinigten Staaten weder besonders weitreichend noch tiefgreifend ist. Zwar kann die einsame Supermacht fast überall auf der Welt mit dem Einsatz von Geld-, Druck- oder Zwangsmitteln Willfährigkeit herstellen, aber sobald sie den Rücken kehrt, schwindet dieser Effekt auch schon wieder. Die EU hingegen übt große und tief greifende Macht aus: Jedes Land, das in ihre Einflusssphäre kommt, durchläuft einen dauerhaften Wandel. Unter dem amerikanischen Schutzschild baut Europa seit einem halben Jahrhundert eine »demokratische Gemeinschaft« auf. Die EU setzt dafür ihr Marktvolumen ein und arbeitet mit Beteiligungszusagen daran, die einzelnen Gemeinwesen von innen heraus zu reformieren. Je weiter die wirtschaftliche Entwicklung Indiens, Brasiliens, Südafrikas und sogar der Volksrepublik China fortschreitet, und je nachdrücklicher diese Länder auf der internationalen politischen Bühne Gehör fordern werden, desto attraktiver und unwiderstehlicher wird für sie das europäische Modell sein als Weg, Wohlstand zu erlangen und gleichzeitig die eigenen Sicherheitsinteressen zu wahren. Diese Länder werden mit der EU bei der Gestaltung eines »Neuen Europäischen Jahrhunderts« gemeinsame Sache machen.

Die Macht der Ohnmacht

Wenn man bei der Internet-Suchmaschine Google die Stichworte »Europe« und »crisis« eingibt, erhält man in Sekundenschnelle mehr als 14 Millionen Treffer. In den Zeitungen ist diese Paarung seit langem so häufig, dass die beiden Wörter inzwischen fast austauschbar geworden sind: Seit einem halben Jahrhundert liest man Tag für Tag Meldungen über Divergenzen, Zielverfehlungen, diplomatisches Gezänk, ein ständiges Gefühl des Scheiterns. Doch die Historiker erzählen uns eine andere Geschichte als die Journalisten. Sie beschreiben einen Kontinent mit einer außerordentlich erfolgreichen Außenpolitik. Sie sagen, dass in gerade mal fünfzig Jahren ein Krieg zwischen den europäischen Mächten völlig undenkbar geworden ist, dass der europäische Wirtschaftsraum mit dem amerikanischen gleichgezogen hat und dass eine Reihe von Demokratisierungswellen in Europa bestehende Diktaturen beseitigt hat.

Wenn Historiker die Weltkarte betrachten, sehen sie eine Friedenszone, die sich wie ein Ölfleck ausbreitet – von der Westküste

Irlands bis zum Ostrand des Mittelmeers und vom Polarkreis bis zur Straße von Gibraltar – und immer neue Mitglieder aufnimmt. Die EU, in der über 450 Millionen Menschen zu Hause sind, teilt Land- und Seegrenzen mit Nachbarländern deren Bevölkerung insgesamt 385 Millionen Menschen zählt. Darum herum leben weitere 900 Millionen Menschen, die wie mit einer Nabelschnur mit der EU verbunden sind, denn die EU ist für sie nicht nur der wichtigste Handelspartner, sondern auch die wichtigste Quelle für Kredite, Investitionen und Entwicklungshilfe. Alles in allem leben also über 1,7 Milliarden Menschen, fast 27 Prozent der Weltbevölkerung in der »Eurosphäre«: im europäischen Einflussbereich, wo das Projekt Europa einen allmählichen Umgestaltungsprozess in Gang gesetzt hat und die Menschen begonnen haben, sich in ihrer Lebenspraxis an europäischen Prinzipen zu orientieren.[6]

Nachrichten über den Zustand der Welt werden uns allerdings gewöhnlich nicht von Historikern, sondern von Journalisten serviert, darum wird die Macht Europas häufig als Ohnmacht verkannt. Wenn jedoch Russland das Kyoto-Protokoll unterzeichnet (das verbindliche Ziele für die Verringerung des Ausstoßes von Treibhausgasen festschreibt), um seine Beziehungen zur Europäischen Union ins Lot zu bringen; wenn Polen, um der EU beitreten zu können, sich von einer jahrzehntelang durchgehaltenen Position verabschiedet und den Schutz ethnischer Minderheiten in der Verfassung garantiert; wenn eine islamistische Regierung in der Türkei den von der eigenen Partei ausgeheckten Plan, Ehebruch per Gesetz strafbar zu machen, beerdigt, um es sich nicht mit Brüssel zu verderben; oder wenn eine amerikanische Regierungsequipe von rechtslastigen Republikanern in den sauren Apfel beißt und die Vereinten Nationen um Hilfe beim Wiederaufbau des Irak angeht – spätestens dann sind Zweifel an der gängigen Definition von Macht und Ohnmacht angebracht.

Wie man sieht, hat sich eine neue Art von Macht herausgebildet, die weder an der Höhe von Militärausgaben noch an der Waffentechnologie gemessen werden kann. Sie wirkt auf lange Sicht und zielt auf die Umgestaltung der Welt, nicht auf den schnellen Sieg in aktuellen Konflikten. Europas Macht liegt in der Transformation.[7] Und wenn wir aufhören, die Welt aus amerikanischer Sicht betrachten, erkennen wir, dass jede Einzelheit der europäischen »Ohnmacht« in Wirklichkeit eine Facette von Europas außerordentlicher Transformationskraft ist.

Europa protzt nicht mit seiner Stärke und spricht auch nicht vom »einzig tragfähigen Fortschrittsmodell«. Vielmehr wirkt es in den traditionellen politischen Strukturen gleichsam als »unsichtbare Hand« und bedient sich ihrer als »Transmissionsriemen«, nimmt also über nationale Strukturen Einfluss. Das britische Unterhaus, die britische Justiz, die britische Beamtenschaft – alles ist noch da, aber alles ist zum Werkzeug der Europäischen Union geworden. Das Ganze ist kein Zufall. Indem die EU die Umsetzung der für alle Mitglieder verbindlichen Normen nationalen Institutionen überlässt, weitet sie ihren Einfluss aus, ohne spezielle Angriffsziele für potenzielle Gegner zu schaffen. Jede Niederlassung eines amerikanischen Unternehmens, jede Botschaft, jede Militärbasis der USA ist für Terroristen eine augenfällige Zielscheibe; auch in Europa gab und gibt es die Bedrohung durch Terroristen, aber im Großen und Ganzen erlaubt den Europäern ihre relative Unsichtbarkeit, ihre Einflusssphäre zu erweitern, ohne herausfordernd zu wirken. In Europa gibt es keine Zentralgewalt, sondern ein Netz von Machtzentren, deren Zusammenhalt in einer gemeinsamen Politik und gemeinsamen Zielen liegt. Darum kann die EU weiter expandieren, noch mehr Länder aufnehmen und ihnen die Vorteile des größten Binnenmarktes der Welt bieten, ohne unregierbar zu werden und zusammenzubrechen.

Bei Verhandlungen der Europäer mit beitrittswilligen Staaten geht es nicht um die klassischen geopolitischen Interessen. Sie fangen am anderen Ende des Themenspektrums an: Was sind die Grundwerte des Aspiranten? Wie sieht sein Verfassungsrahmen, wie der Staatsapparat und die Herrschaftsstruktur aus? Indem die EU darauf besteht, das Recht als normativen Rahmen staatlichen Handelns zu setzen, vermag sie die Länder, mit denen sie in Beziehung tritt, von Grund auf umzugestalten, statt lediglich an der Oberfläche zu kratzen. Haben die USA in Afghanistan das Regime ausgewechselt, so verändert Europa das polnische Gemeinwesen im Ganzen, von der Wirtschaftspolitik und dem Sachenrecht bis zur Behandlung von Minderheiten und zu dem, was im Land auf den Tisch kommt.

Die Europäer erwirken Veränderungen in einem Land nicht mit Invasionsdrohungen: Das Land links liegen zu lassen, ist das Schärfste, womit sie drohen. Während die EU in Serbien engagiert am Wiederaufbau mitwirkt und dessen Bemühen um die »Rehabilitation« als europäisches Staatswesen unterstützt, bieten die USA Kolumbien keine derartige Hoffnung auf Eingliederung durch multilaterale Institutionen oder Strukturfonds, sondern lediglich »Beistand« in Form von befristeter Militärhilfe und Bewegungsfreiheit in dem rauen Klima des amerikanischen Marktes.

Mit der Schaffung des größten Binnenmarktes der Welt ist die Europäische Union zum Wirtschaftsriesen geworden – nach manchen Berechnungen ist sie sogar schon die größte Wirtschaftsmacht.[8] Aber es sind nicht quantitative, sondern qualitative Faktoren, die der europäischen Wirtschaft Modellcharakter verleihen: Ein relativ moderates soziales Gefälle erspart den Ländern Kosten bei der Verbrechensbekämpfung und beim Strafvollzug; da die Wirtschaft Energie effizient nutzt, fällt die Belastung durch Ölpreiserhöhungen geringer aus; der soziale Standard der europäischen Industriegesellschaft gibt den Erwerbstätigen Zeit für Erholung und Familienleben. Europa verbindet Unternehmungsgeist und Freiheitsdurst – Attribute des Liberalismus – mit Stabilitäts- und Wohlfahrtspolitik, Markenzeichen der Sozialdemokratie. Mit zunehmendem Wohlstand auf der Welt und einer Lebensqualität, die über die Befriedigung der Grundbedürfnisse (Nahrung, Wohnung, medizinische Versorgung usw.) hinausgeht, wird der *European way of life* zum unschlagbaren Erfolgsmodell werden.

Überall auf der Welt lassen sich Länder vom europäischen Beispiel inspirieren und pflegen den nachbarschaftlichen Zusammenhalt. Dieser »regionale Dominoeffekt« wird unser Verständnis von Politik und Wirtschaft verändern und dem Begriff der Macht für das 21. Jahrhundert eine neue Bedeutung geben.

Das »Neue Europäische Jahrhundert«

Stellen wir uns eine friedliche, prosperierende, vollständig demokratisierte Welt vor. Eine Welt, in der kleine Länder die gleichen Mitspracherechte genießen wie die großen. Eine Welt, in der es darauf ankommt, ob jemand sich der Herrschaft des Rechts unterstellt – und nicht, ob er für oder gegen uns ist. In der demokratische Werte zählen und nicht, was man in der vergangenen Woche für den Kampf gegen den Terrorismus getan hat. In der man mit einer Bevölkerungszahl von 400 000 Teil der größten Wirtschaftsmacht sein kann. Kurz: Ich fordere Sie auf, sich das »Neue Europäische Jahrhundert« vorzustellen.

Ich will in diesem Buch nicht die Defizite und Fehler der Europäischen Union entschuldigen. Davon gibt es eine ganze Menge: von der Absurdität der gemeinsamen Agrarpolitik bis zu der schäbigen Einwanderungspolitik, von mangelnder Entschiedenheit des Auftretens auf der internationalen Bühne bis zur allzu großen Entschiedenheit der EU-Bürokratie beim Festsetzen von Normen. Ich will allerdings die EU vor ihren Gegnern in Schutz nehmen, und zwar sowohl vor denen, die ihre außerordentlichen Leistungen schmälern wollen, indem sie ihr – vielfach zu Unrecht – alle möglichen Missstände vorwerfen, als auch vor denen, die im Namen der europäischen Sache anstelle der EU, wie sie ist, gern etwas ganz anderes hätten: einen Bundesstaat nach amerikanischem Muster. Diese beiden Lager haben es geschafft, dass sich eine gewisse Europaverdrossenheit breitgemacht hat. Mein Ziel ist es, einen Beitrag zu leisten, unseren Kontinent von diesem lastenden und lähmenden Pessimismus zu befreien.

KAPITEL 1
Europas unsichtbare Hand

Am Anfang gab es keine Zukunft, nur die jüngere Vergangenheit. Und die war überall blutgetränkt und stand unter dem Zeichen von Krieg und Völkermord: 184 000 Tote im Deutsch-Französischen Krieg 1870/71, acht Millionen im Ersten Weltkrieg, vierzig Millionen im Zweiten.[1] Große Pläne und »charismatische Herrschaft« – um es mit Max Weber zu sagen – hatten den Kontinent fast entvölkert. Es musste ein Wunder geschehen, damit er sich wieder erholte, doch für starke Führerpersönlichkeiten vermochte sich kaum noch ein Europäer zu begeistern. In sechs Worten brachte der französische Dichter Paul Valéry die allgemeine Stimmungslage im Europa des Jahres 1945 auf den Punkt: »Wir hoffen vage, wir fürchten präzise.«[2]

Darum vertrauten sich die Europäer bei ihrer heroischen Selbstbefreiung von den historischen Lasten nicht der Führung überlebensgroßer Kriegshelden an – Menschen wie Churchill oder de Gaulle, die den Kampfgeist einer ganzen Generation entfacht hatten –, sondern legten ihr Schicksal in die Hände eines Kommandostabs aus fast gesichtslosen Technokraten, die sich eine europäische Zukunft ohne Waffen zum Ziel gesetzt hatten. Die Schlüsselfigur war Jean Monnet, ein unscheinbarer französischer Beamter, klein und untersetzt, der den Journalisten Anthony Sampson immer wieder an Agatha Christies Meisterdetektiv Hercule Poirot erinnerte.

Monnets Leistung bestand darin, dass er wusste, wie man ein visionäres Ziel unter Verzicht auf jedwede Vision anstrebt. Aus Valérys Bemerkung machte er ein Rezept für den Aufbau eines geeinten Europa. Er machte die Furcht vor einem neuerlichen Konflikt zum Motor des europäischen Einigungsprozesses und hielt dabei das Endziel so vage, dass jeder sich in diesem Europa wiederfinden konnte. Und bis heute ist die europäische Einigung eine Reise ohne festes Endziel, ein politisches Programm, das die weitreichenden Pläne und die Bestimmtheit, die das Wesen der amerikanischen Politik mit ausmachen, vermeidet. In diesem Verzicht auf eine Vision liegt seine Stärke.

Monnets wichtigster Grundsatz war, exakte Pläne zu vermeiden. Die auf seine Initiative von dem französischen Außenminister am 9. Mai 1950 vorgelegte »Schuman-Plan«, mit deren Unterzeichnung Frankreich und die Bundesrepublik Deutschland den Startschuss für das »Projekt Europa«, den europäischen Integrationsprozess, gaben, machte den Verzicht auf eine präzise *road map* zum Kardinalpunkt: »Europa lässt sich nicht mit einem Schlage herstellen und auch nicht durch eine einfache Zusammenfassung: Es wird durch konkrete Tatsachen entstehen, die zunächst eine Solidarität der Tat schaffen.«[3] Monnet war bald nach dem Ersten Weltkrieg einige Jahre lang Generalsekretär des glücklosen Völkerbundes gewesen und hatte damals begriffen, dass es weniger auf irgendwelche illusorischen Vorstellungen von einer Völkergemeinschaft als vielmehr auf konkrete Formen der Zusammenarbeit ankam. Durch die Einrichtung eines gemeinsamen Marktes für Kohle und Stahl wollte er zwischen Frankreich und der Bundesrepublik Deutschland »eine tatsächliche Verbundenheit schaffen«: Die Industrien, die zuvor Kriegsgerät produziert hatten, sollten den Grundstein für das friedliche Miteinander bilden. Monnets Linie war es stets, seine Kräfte lieber auf die Lösung technischer Einzelheiten zu konzentrieren, als sich an den schlagzeilenträchtigen großen politischen Problemen zu verheben. Strittige Angelegenheiten suchte er zu bereinigen, indem er sie in Detailfragen zerlegte – über Kohle- und Stahlzölle wird man sich sehr viel leichter einig, als wenn es um Krieg oder Frieden geht. Und wenn die französische und die deutsche Regierung erst einmal in Dauerverhandlungen stünden, wäre die Wahrscheinlichkeit eines Krieges zwischen den beiden Ländern schon erheblich geringer.

Die beste Methode, die bestehenden Verhältnisse zu ändern, sah Monnet in einer Politik der kleinen Schritte. Jede Vereinbarung zur Zusammenarbeit auf europäischer Ebene musste zwangsläufig weitere Vereinbarungen nach sich ziehen, die allesamt den Prozess der europäischen Integration vorantrieben. Nachdem die Regierungen der in der Montanunion zusammengeschlossenen Staaten sich auf die Abschaffung der Binnenzölle geeinigt hatten, wandten sie sich anderen Handelsbarrieren zu: behördlichen Verordnungen, Gesundheitsschutz- und Sicherheitsrichtlinien, Kennzeichnungsvorschriften. Mit der Errichtung eines gemeinsamen Marktes (»Europäischer Binnenmarkt«) 1993 waren diese Barrieren zum allergrößten Teil beseitigt, und die nationalen Führungsspitzen nahmen nun die Schaffung der Währungsunion in Angriff. Die Zahl der Politiker und Beamten, die in irgendeiner Form in den europäischen Integrationsprozess involviert waren, wuchs ständig. Die Konferenzen, zu denen Regierungsvertreter aus den verschiedenen Mitgliedsländern zusammentrafen, gingen in die Tausende, was bedeutete, dass sich die Teilnehmer sehr gut kennenlernten. Da stellten sich dann ganz von selbst Ideen für neue Projekte ein, die man gemeinsam angehen konnte.

Mit seiner unkonventionellen Vorgehensweise gab Monnet ein Muster vor, an das sich später auch die Europäische Union halten sollte. Der Monnet-Schüler Stanley Cleven beschreibt den Arbeitsstil seines Lehrers so:

> Wenn Monnet ein neues Problem in Angriff nahm, pflegte er einen Haufen Leute um sich zu versammeln. (…) Er startete dann so etwas wie einen Marathon-Kaffeeklatsch. Der zog sich manchmal über ein, zwei Wochen hin und dauerte jeden Tag endlos lang. (…) Monnet schwieg; nur ab und an provozierte er mit einigen wenigen Worten eine Reaktion. (…) Wenn die allgemeine Diskussion in Gang kam – und nicht selten dauerte es Tage oder eine ganze Woche, bis es soweit war –, dann begann er sich einzelne knappe Bemerkungen zu erlauben.[4]

Mit einer ganz simplen, fast phrasenhaften Feststellung machte Monnet den Anfang, um zu sehen, wie die anderen darauf reagierten. Dann gab er, indem er die Phrase zu einigen Sätzen und in der Folge zu Absätzen erweiterte, schrittweise etwas mehr von seinen Überlegungen preis. Auf die Einwände aus seiner Umgebung hin, die auf Schwachpunkte in seinen Ausführungen hinwiesen, formulierte er seine Gedanken immer wieder um und neu, so lange, bis sie für alle Diskutanten zustimmungsfähig waren. Monnet pflegte von seinen Memoranden, Reden und Vorschlägen bis zu dreißig Entwürfe herzustellen. Dieses mit großer Beharrlichkeit angewandte Verfahren der schrittweisen Näherung hatte seinerzeit den gleichen Sinn, den heute der niemals abreißende Prozess der Formulierung, Verhandlung und Revision der EU-Politik hat: Es geht darum, jeden nur denkbaren Konfliktstoff auszuräumen, alle Hindernisse zu beseitigen. Was auf diesem Wege zustande kommt, ist eine einfache äußere Form für eine vielschichtige Idee.

Monnet hat der EU sozusagen ein Instrument der politischen Alchimie an die Hand gegeben. Jedes Mitglied hat ja seine eigenen nationalen Interessen; werden jedoch die nationalen Interessen der einzelnen Mitglieder in den Athanor* der europäischen Integration eingebracht, so werden sie dort in ein europäisches Projekt umgewandelt. Die Beneluxländer hatten im Zweiten Weltkrieg in drastischer Form ihre Schutzlosigkeit gegenüber den europäischen Großmächten erkennen müssen, sodass sie jetzt nach Mitteln und Wegen suchten, Deutschland und Frankreich Zügel anzulegen; allerdings gab es für sie, die kleinen unter den europäischen Staaten, nur eine einzige reale Chance, in Europa zu politischem Einfluss zu gelangen, und die lag in einem geeinten Staatenverbund irgendwelcher Art. Für Deutschland (in gewissem Maß auch für Italien) war das Hauptziel, aus der Position des Geächteten herauszukommen, politisch rehabilitiert zu wer-

---

* »Athanor« nannten die Alchimisten den Ofen, in dem aus gemeiner Materie der Stein der Weisen erzeugt werden sollte.

den. Zugehörigkeit zu einer europäischen Gemeinschaft bot den Westdeutschen auch Schutz gegen Bedrohungen aus dem Osten sowie die Möglichkeit, die alliierten Wirtschaftseinschränkungen loszuwerden. Diese versperrten nämlich den für den Wiederaufbau so dringend benötigten Zugang zu ausländischen Märkten. Das wichtigste Ziel für Frankreich war es, Deutschland in Schach zu halten; hinzu kam die Aussicht auf Wirtschaftswachstum, durch den Zugang zu deutschen Märkten und die Erschließung deutscher Produktionskapazitäten. Der französische Wirtschafts- und Finanzminister und spätere Präsident der EG-Kommission Jacques Delors sprach in dieser Hinsicht von einem »Ehevertrag«, auf den sich die Europäische Wirtschaftsgemeinschaft gründete.[5]

Bei alledem handelte es sich jeweils um ein von nationalem Interesse getragenes Kalkül, und dennoch kam dank der Filtration durch Monnets europäische Institutionen am Ende eine Lösung heraus, die das europäische Konfliktpotenzial entschärfte.[6] Im Europa von heute ist Krieg nicht einfach nur etwas, das sich von niemand wünscht – er ist ein Ding der Unmöglichkeit. Um zu erklären, wieso ein völlig freies, von den Antrieben und Zwängen der menschlichen Natur und klug erdachten Institutionen gelenktes Wirtschafts- und Gesellschaftssystem nicht zum Hobbes'schen »Krieg aller gegen alle«, sondern zu einer geordneten, friedlichen Gesellschaft führt, erfand Adam Smith, der Begründer der klassischen Nationalökonomie, das suggestive Bild vom Markt als einer »unsichtbaren Hand«.[7] Man kann es getrost einen Geniestreich Monnets nennen, dass er eine »europäische unsichtbare Hand« schuf, die aus der Vereinigung verschiedener nationaler Interessen eine geordnete, friedliche europäische Gesellschaft hervorbrachte.[8] Wohl das eigentlich durchschlagende Moment an Monnets Vision war: Er machte nicht den Versuch, den Nationalstaat oder nationale Gesinnung abzuschaffen – er wollte einfach nur deren Wesen und Bedeutung verändern.

Der europäische Gedanke konnte und kann sich weitgehend unangefochten im Leben der Europäer etablieren, weil er in vorhandene Strukturen des nationalen Lebens einsickert, wobei die nationalen Institutionen äußerlich intakt bleiben, aber innerlich umgewandelt werden. Die »Europäisierung« des nationalen politischen Lebens findet größtenteils hinter den Kulissen statt, aber gerade dank dieser Unsichtbarkeit ist ein einzigartiges politisches Experiment zu einem triumphalen Erfolg geworden. (Allerdings gerät heute gerade diese Unsichtbarkeit und Undurchschaubarkeit in die Kritik.)

Das unsichtbare politische System

London, Westminsterpalast, Sitz des britischen Parlaments. Es ist halb zwölf Uhr an einem Donnerstagmorgen, und Landwirtschaftsministerin Margaret Beckett wird sich gleich den Fragen der Unterhausmitglieder stellen – wie es in den zurückliegenden dreihundert Jahren auch die ganze Reihe ihrer Vorgänger getan hat. Das obligatorische fünfminütige Gebet vor Sitzungsbeginn ist beendet, und die Abgeordneten haben bereits auf dem grünen Plüsch der Bänke Platz genommen. Für diese Woche haben sie genug vom Parlamentsbetrieb und zählen schon die Minuten bis zur Abreise ins Wochenende im heimischen Wahlkreis. Umso lauter sind jetzt die »Hört, hört!«-Rufe, und umso heftiger wird mit den Tagesordnungszetteln gewedelt.

Zwar hat sich das äußere Bild der »Fragestunde« im britischen Unterhaus in Jahrhunderten nicht verändert, doch hinter dieser Fassade der Kontinuität verbirgt sich die Tatsache, dass heute mehr als die Hälfte der im britischen Unterhaus verabschiedeten Agrargesetze Beschlüsse umsetzen, die in Brüssel getroffen wurden.[9] Das House of Commons kann zwar von Margaret Beckett Rechenschaft verlangen, aber die wesentlichen Entscheidungen fallen nicht in ihre alleinige Verantwortung. Sie sind das Ergebnis von Verhandlungen zwischen ihr und ihren europäischen Kollegen auf Konferenzen der EU-Landwirtschaftsminister in Brüssel und des Weiteren mit verschiedenen dort zwischen drei- und vierhundertmal jährlich tagenden Fachausschüssen.[10] Für die Besucher des Unterhauses und sogar für die britischen Landwirte hat sich jedoch nichts geändert, denn die neuen Politikrichtlinien werden nicht auf der europäischen Ebene umgesetzt oder ratifiziert. Der Landwirt hat es nach wie vor mit nationalen Behörden (Landwirtschaftsministerium, Zoll- und Finanzamt, Prüfstellen für die Einhaltung von Gesundheits- und Sicherheitsrichtlinien) zu tun, die nunmehr zu Exekutivorganen gesamteuropäischer Politikbeschlüsse geworden sind.

Die unsichtbare Europäisierung der Macht geht quer durch das ganze Spektrum der britischen Politikinstitutionen. Da ist kein einziges Ministerium mehr, das nicht in dem ein oder anderen EU-Gremium mit seinesgleichen zu tun gehabt hätte, Verteidigungs-, Verkehrs- und selbst Innenministerium nicht ausgenommen. Nach zuverlässigen Schätzungen wird bis zu einem Drittel der britischen Gesetzgebung – (darin enthalten sind zwei Drittel der Wirtschafts- und Sozialgesetzgebung) – von den zuständigen Ministern gemeinsam mit ihren europäischen Kollegen in Brüssel erarbeitet.[11] Das gilt auch für alle anderen Mitgliedstaaten.

Auch auf dem Wirtschaftssektor trumpft die EU mit ihrer Macht nicht auf. Die Wirtschaftsleistung in der Europäischen Union ist genauso groß wie in den USA, und auch das europäische Niveau der Kapitalinvestitionen im Ausland ist mit dem der Vereinigten Staaten vergleichbar. Ja, in vieler Beziehung übersteigt diese Wirtschaftskraft sogar die der USA, und dennoch wird sie nicht mit der gleichen Aufmerksamkeit registriert. Die Anti-Globalisierungsbewegung ist, selbst in Amerika, ein fast durchgängig antiamerikanisches Phänomen, obwohl ihr Gegenstück, die Globalisierung, ein mindestens ebenso europäisches wie amerikanisches Phänomen ist. Überall auf der Welt bringt der Vormarsch von McDonald's bei radikalen Nationalisten und Globalisierungsgegnern die Galle zum Überlaufen. Hassobjekte der Anti-Globalisierungsbewegung sind durchweg amerikanische Unternehmen wie Starbucks, Gap, Nike. In gewisser Beziehung illustriert der Anschlag auf das World Trade Center dieses Paradox: Für einen Anschlag auf das Herz der Weltwirtschaft war ein Objekt in New York die erste Wahl, weil die amerikanische Wirtschaftsmacht in aller Welt aufmerksam beobachtet wird. Die in der Größenordnung durchaus vergleichbare europäische Wirtschaft wird von der Weltöffentlichkeit einfach nicht so wahrgenommen.

Die Europäische Union zielt darauf ab, die nationale Identität der einzelnen Mitglieder zu stärken, nicht, sie zu zersetzen. Brüssel, so ungefähr das Gegenteil einer Reichshauptstadt, ist in vielerlei Hinsicht ein Miniaturmodell von Europa, ist Spiegelbild und Archiv europäischer Geschichte. Fast alle großen Invasoren – von Cäsar über Napoleon bis zu den Truppen des »Dritten Reiches« – sind hier durchgezogen und haben die Ortsansässigen ihrer Herrschaft unterworfen. Und dieses historische Erbe findet heute in der Einwohnerschaft Brüssels, ihrer Denkweise, der Architektur der Stadt seinen heterogenen Niederschlag. Ein Drittel der Einwohner ist ausländischer Herkunft[13], wobei die nutzlosen, aber gut bezahlten Eurokraten Seite an Seite leben mit Marokkanern, Ruandern, Kongolesen, der Unterklasse der armseligen Einwanderer aus den ehemaligen europäischen Kolonien. Brüssel ist die Hauptstadt eines Landes ohne echtes Nationalbewusstsein (vielmehr mit ständigem Gerangel zwischen dem flämischen und dem wallonischen Bevölkerungsteil Belgiens).

Die aus dem Ausland temporär nach Brüssel verpflanzten Mitarbeiter der EU-Organe schleppen ihr Zuhause im Kopf mit sich herum, und diese Last hält sie davon ab, in der neuen Umgebung heimisch zu werden. Die wenigsten Eurokraten machen auch nur den Versuch sich anzupassen. Von den Briten klammern sich viele so fest an ihre eingefleischten Gewohnheiten, dass sie sich auf dem Kontinent ein kleines zweites England erschaffen haben. Sie leben in einer Metropole der europäischen Kochkunst, aber ihre Speisekammer und ihren Kühlschrank füllen sie mit abgepackten Esswaren und Dosen aus der Heimat: Bird's Vanillepuddingpulver, Walkers Chips, Heinz Baked Beans, Wurstwaren von Wall, Kuchen von Battenburg und »clotted cream« direkt aus Totnes in Devon. Aber das ist rein gar nichts gegen die flammende Heimattreue der Griechen, die sich an ihrem Nationalfeiertag in bunte folkloristische Kostüme werfen und durch die Straßen tanzen. Oder im Vergleich zu den Iren, deren lärmende Fröhlichkeit am Sankt-Patrick-Tag, dem Fest ihres Nationalheiligen, aus den Dutzenden von Irish Pubs erschallt, die über die ganze Stadt verteilt sind. Brüssel ist ganz unaufdringlich ein Sammelbecken lebendiger nationaler Identitäten, die sich hier ungehindert entfalten können – die Stadt ist die Verkörperung eines Spruchs von John Redwood, dem Rechtsaußen der britischen Konservativen, als er meinte, es komme darauf an, »in Europa und nicht unter der europäischen Fuchtel« zu sein.

Indem die EU zu Hause Zurückhaltung übt und über nationale politische Strukturen Einfluss nimmt, ist sie herangewachsen, ohne sich viele Feinde zu machen. Während sie jetzt mehr und mehr zu einem ernst zu nehmenden Machtfaktor auf der internationalen Bühne heranreift, kann sie die alte Linie beibehalten. Bei Auslandseinsätzen treten Soldaten aus EU-Ländern sehr selten unter der Flagge der eigenen Nation an; viel öfter agieren sie – so in Bosnien, im Kosovo, im Libanon mit UN-Mandat unter NATO-Kommando.

Auch auf dem Wirtschaftssektor trumpft die EU mit ihrer Macht nicht auf. Die Wirtschaftsleistung in der Europäischen Union ist genauso groß wie in den USA, und auch das europäische Niveau der Kapitalinvestitionen im Ausland ist mit dem der Vereinigten Staaten vergleichbar. Ja, in vieler Beziehung übersteigt diese Wirtschaftskraft sogar die der USA, und dennoch wird sie nicht mit der gleichen Aufmerksamkeit registriert. Die Anti-Globalisierungsbewegung ist, selbst in Amerika, ein fast durchgängig antiamerikanisches Phänomen, obwohl ihr Gegenstück, die Globalisierung, ein mindestens ebenso europäisches wie amerikanisches Phänomen ist. Überall auf der Welt bringt der Vormarsch von McDonald's bei radikalen Nationalisten und Globalisierungsgegnern die Galle zum Überlaufen. Hassobjekte der Anti-Globalisierungsbewegung sind durchweg amerikanische Unternehmen wie Starbucks, Gap, Nike. In gewisser Beziehung illustriert der Anschlag auf das World Trade Center dieses Paradox: Für einen Anschlag auf das Herz der Weltwirtschaft war ein Objekt in New York die erste Wahl, weil die amerikanische Wirtschaftsmacht in aller Welt aufmerksam beobachtet wird. Die in der Größenordnung durchaus vergleichbare europäische Wirtschaft wird von der Weltöffentlichkeit einfach nicht so wahrgenommen.

Das gilt in gewisser Hinsicht interessanterweise auch für die Furcht vor einer ausländischen Machtübernahme, die immer mal wieder in der amerikanischen Wirtschaft grassiert. Angesichts des Aufstiegs der Wirtschaftsmacht Japan war in den Achtzigerjahren des 20. Jahrhunderts in den Vereinigten Staaten des Händeringens und Nägelkauens kein Ende, weil man schon deutlich wahrzunehmen glaubte, wie die Japaner sich zum Sturm auf die Kommandohöhen der US-Wirtschaft formierten. Europäische Investitionen in den USA haben inzwischen die japanischen locker hinter sich gelassen, aber bei den amerikanischen Analysten, die so gern die ökonomischen Defizite der Europäer beleuchten, findet diese Tatsache kaum je Erwähnung.

Der augenfälligste Grund für die Unscheinbarkeit europäischer Präsenz im Ausland ist der dunkle Punkt in der Vergangenheit namens »Kolonialismus«, der sich heute dahin auswirkt, dass Europäer eine handfeste Scheu haben, in imperialer Attitüde aufzutreten. Man bezeugt lieber der jeweiligen lokalen Kultur Respekt. Und dafür gibt es noch einen tieferen Grund: In der europäischen Zukunftsvision ging es nie darum, ein bestimmtes Fortschrittsmodell als für alle Menschen gültig und verbindlich durchzusetzen; Ziel war und ist vielmehr das friedliche Miteinander unterschiedlicher, auch rivalisierender Kulturen. Bei der Verleihung des Friedensnobelpreises 1998 fasste der nordirische Politiker John Hume diesen Sachverhalt beeindruckend in Worte. In seiner Rede bei der Entgegennahme des Preises bezeichnete Hume die europäische Integration als den erfolgreichsten Friedensprozess der Weltgeschichte: »Die Europa-Visionäre haben bewiesen, dass Unterschiedlichkeit keine Bedrohung darstellt; Unterschiedlichkeit ist etwas Natürliches … Die angemessene

Reaktion auf Unterschiedlichkeit besteht darin, sie zu respektieren ... Die europäischen Nationen haben mit dem Ministerrat, mit der Europäischen Kommission und dem Europäischen Parlament Institutionen geschaffen, welche die Unterschiede zwischen den Völkern respektieren, ihnen aber die Möglichkeit zu einer Zusammenarbeit auf ökonomischer Ebene geben, die dem gemeinsamen Interesse entspricht.«[14]

Dieser Pluralismus hat zudem den unerwarteten Effekt, dass er die Prinzipientreue der EU fördert. Das zeigt sich sehr klar an folgendem Beispiel. Nach dem Fall der Berliner Mauer im Jahr 1989 erklärte der Europäische Rat 1992 im Maastrichter Vertrag zwar die Osterweiterung zu einem Ziel der künftigen EU-Politik, jedoch ohne zugleich festzulegen, welche vormaligen Warschauer-Pakt-Staaten in die Union aufgenommen werden sollten. Da die Staats- und Regierungschefs noch keine Möglichkeit sahen, für die EU endgültige territoriale Grenzen festzuschreiben, formulierten sie 1993 ersatzweise die »Kopenhagener Kriterien«, die alle potenziellen Beitrittsländer zur Europäischen Union erfüllen müssen; als die wesentlichsten davon bezeichneten sie »eine institutionelle Stabilität als Garantie für demokratische und rechtsstaatliche Ordnung, für die Wahrung der Menschenrechte sowie die Achtung und den Schutz von Minderheiten ... ferner eine funktionsfähige Marktwirtschaft sowie die Fähigkeit, dem Wettbewerbsdruck und den Marktkräften innerhalb der Union standzuhalten«. Dahinter steckte bei manchem der Beschlussfassenden der Wunsch, bestimmte beitrittswillige Länder draußen vor der Tür zu halten. Mehreren EU-Mitgliedsstaaten lag besonders daran, mit den Kriterien in Sachen Menschenrechte und Minderheitenschutz die Latte für die Türkei so hoch zu legen, dass die kemalistische Republik am Bosporus es garantiert niemals zur Aufnahme in die Union würde bringen können. Aber just diese Kriterien trieben und treiben die Türkei zu inneren Reformen an und werden im Endeffekt einer modernen, demokratischen Türkei den Weg zum Beitritt ebnen (auch wenn davon derzeit viele EU-Mitglieder nicht entzückt sind). Ähnlich wirkten die im Vertrag von Maastricht enthaltenen »Konvergenzkriterien«, die EU-Mitglieder im Zuge der Europäischen Währungsunion erfüllen mussten: Zumindest einige wollten auf diese Weise die auf allzu großem Fuß lebenden Italiener aus dem Klub hinausdrängen – mit dem Erfolg, dass Italien seine Schuldenpolitik revidierte und sich so den Verbleib in der Europäischen Wirtschafts- und Währungsunion sicherte.

In diesen wie auch in ähnlichen Fällen mühten sich die EU-Staaten um ein gemeinsames Endziel und überdeckten ihre Divergenzen, indem sie sich auf eine Verfahrensordnung einigten, die europäische Werte zur Geltung bringt. Paradoxerweise projizierten sie ihre Werte auf die europäische Ebene, um partikulare Interessen zu bewahren. So entstand die eigentümliche Situation, dass die einzelnen Staaten Interessen, nicht Werte vertreten, während die EU Werte, nicht Interessen vertritt.

Den Beginn der europäischen Integration begleitete Jean Monnet mit dem vorausblickenden Kommentar: »Wir stehen am Anfang eines kontinuierlichen Reformprozesses, der die Welt von morgen nachhaltiger zu formen vermag als die außerhalb der westlichen Hemisphäre so verbreiteten revolutionären Vorstellungen.«[15] Weil sich jedoch das europäische Integrationsprojekt im Rahmen nationaler Gesetze und Vollzugsmaßnahmen bestenfalls in groben Umrissen abzeichnet, wird es leicht ganz übersehen. Für den uninformierten Beobachter hat es den Anschein, als lägen alle Hoheitsrechte nach wie vor allein bei den einzelnen Regierungen, die verfassungsmäßig legitimiert sind, und als verliefe das politische Geschehen nach wie vor in den uralten Bahnen. Paradoxerweise war gerade diese Unsichtbarkeit die Voraussetzung, die Antriebskraft für die ungeheuer schnelle und dynamische Entwicklung der europäischen Integration. Mit ihrem Zusammenschluss und ihrem »Pooling der Souveränität«, dem Transfer von Souveränität im Interesse der Verwirklichung gemeinsamer Ziele, haben die EU-Länder *ex nihilo* ein neues Machtpotenzial geschaffen. Die stille Revolution, die sie entfesselten, wird die Welt verändern.

KAPITEL 2

»Vereint wir vergehn, getrennt wir bestehn«

1968 war ein Jahr der Revolutionen. Was an der Sorbonne in Paris als Protest gegen veraltete Lehrgänge und drohende Zulassungsbeschränkungen begonnen hatte, lief innerhalb kürzester Zeit wie ein Steppenbrand durch Europa und die Vereinigten Staaten. Doch die aufrührerischen Gedanken beschränkten sich nicht auf die Hochschulen. Dee Hock, der 1950 schon nach zwei Jahren sein Studium abgebrochen hatte und inzwischen in das mittlere Management einer Bank in Seattle aufgestiegen war, leitete eine Revolution eigener Art in die Wege – aus der die Europäische Union wichtige Lehren ziehen könnte. Man bekommt ja immer wieder zu hören, dass die europäische Vielstaaterei die EU daran hindert, ihre wahre Stärke in der Weltpolitik voll auszuspielen; Hock hat jedoch ein Beispiel dafür geliefert, dass man keinen zentralisierten bürokratischen Verwaltungsstab benötigt, um die Welt zu erobern.

Dee Hocks große Stunde schlug, als er von der Zentrale der Bank in einen Ausschuss berufen wurde, der eine Strategie erarbeiten sollte, die schwächelnde Kreditkarten des Instituts, die »Bankamericard« nach vorne zu bringen. Die Ausgangslage war düster. Als Massenartikel gab es Kreditkarten gerade mal zehn Jahre, und in dem noch in den Kinderschuhen steckenden Geschäftszweig herrschte das reine Chaos. Die Banken hatten unaufgefordert Kreditkarten an ein Millionenheer von Kunden ausgegeben, die im Umgang mit dieser Art von Kreditaufnahme noch völlig unerfahren waren. Die geschätzten Verluste der Kreditinstitute beliefen sich auf Hunderte Millionen Dollar. Für viele Karteninhaber endete das Abenteuer im Ruin. Politiker schlugen

Alarm. Und die Medien stürzten sich in eine Orgie von Schuldzuschreibungen.

Statt einer neuen Geschäftsstrategie schlug Hock mit Visa seinen Bossen eine neuartige Organisationsform vor. Er war zu dem Schluss gekommen, dass es an der Zeit war, sich von der hierarchischen Unternehmensstruktur, diesem Produkt der industriellen Revolution, zu verabschieden und eine Organisationsform nach dem Vorbild biologischer Strukturen zu schaffen: ein Netz. Ihm schwebte ein weltweites Franchising-System vor, in dem die einzelnen Franchise-Nehmer (konkret: Kreditinstitute) untereinander im Wettbewerb stünden und damit zu einer innovationsfreundlichen Geschäftspolitik gezwungen wären.

Nach Hocks Konzept sollte das geplante Unternehmen nicht Aktionären gehören, sondern ein Verband in der Trägerschaft seiner Mitglieder – Banken und sonstige Finanzdienstgesellschaften – sein. Das Eigentum an den Gesellschaftsanteilen sollte unbefristet, der Handel mit ihnen jedoch ausgeschlossen sein, sodass kein einzelnes Mitgliedsinstitut sich die Kontrolle über das Ganze würde verschaffen können. Hock wollte eine möglichst dezentralisierte Organisation aufbauen, die zugleich so weit wie möglich gemeinschaftliche Interessen wahrt. Leitungsaufgaben, Entscheidungskompetenz, Planung und Entwicklung, Vermögensbildung – was überhaupt nur ging, wurde an die Peripherie der Organisation verlegt, den Mitgliedsinstituten zugewiesen. Was als Gemeinschaftsunternehmen einer durchaus überschaubaren Zahl kleinerer Banken in gerade mal zwölf US-Bundesstaaten begann, ist heute ein Verband von über 21 000 Banken und anderen Finanzdienstleistungsgesellschaften in 240 Ländern. Von den im Geschäftsjahr 2004 weltweit für den privaten Konsum ausgegebenen 24 Billionen US-Dollar entfielen 8,4 Prozent (mehr als 2 Billionen) auf Geschäfte, die mit der Visa-Karte getätigt wurden; insgesamt wurden weltweit über 1,187 Milliarden Visa-Karten ausgegeben, 11,7 Millionen davon in Deutschland (von diesen wiederum 515 000 im Geschäftsjahr 2004, was einem lokalen Zuwachs von 4,6 Prozent entspricht).[1]

Der organisatorische Rahmen für die Entfaltung dieser ökonomischen Riesenkräfte ist eher zwergenhaft: Die Visa-Zentralverwaltung beschäftigt in 21 Geschäftsstellen rund um den Globus nicht mehr als 3000 Mitarbeiter. Seine Stärke und seinen Erfolg gewinnt das Unternehmen daraus, dass es anderen Firmen Wind unter die Flügel bläst. Und das ist gut so, meint Hock: So habe er es von Anfang an haben wollen. »Je besser die Organisation, desto weniger tritt sie in Erscheinung«, sagt er. »Mit Visa wollten wir eine unsichtbare Organisation schaffen, und unsichtbar soll sie auch bleiben. Es kommt darauf an, dass man Ergebnisse sieht und nicht die Strukturen oder das Management.«[2]

Das »vernetzte Europa«

Jean Monnet war zwar in so gut wie jeder Beziehung weit von Dee Hock entfernt, aber die Prinzipien, die er vertrat, gleichen jenen, die Visa großgemacht haben. Die Europäische Union, als deren Geburtshelfer er sich verdient gemacht hat, kommt in ihrem Charakter dem Unternehmen Visa näher als einem Staatswesen: Sie ist ein dezentralisiertes Netzwerk im Besitz der Mitgliedsländer.[3]

Was das betrifft, spricht der Sitz des EU-Ministerrats Bände. Das Gebäude mit dem Namen »Justus Lipsius« macht den Eindruck, als wäre es aus den Tiefen des Weltraums hervorgeschossen und zufällig in Brüssel gelandet – wo es mit seiner futuristischen Kälte dem eleganten Jugendstil der Umgebung einen Dämpfer versetzt. Der unpersönliche klotzige Quader mit seiner Außenhaut aus poliertem grauem Stein und Spiegelreflexglas steht auf einer Grundfläche von 215 000 Quadratmetern. Durch seine Trakte, die eine riesige zentrale Halle umschließen, ziehen sich Flure von insgesamt 24 Kilometern Länge.[4] Wie bei einer russischen Puppe setzt sich die äußere Hülle unendlich im Inneren fort. Dutzende von rechteckigen Konferenzräumen reihen sich aneinander, in jedem bildet jeweils eine fein säuberlich für Besprechungen auf höchster europäischer Ebene vorbereitete rechteckige Tischformation mit einem Loch in der Mitte das Zentrum: Schilder mit den Namen der 25 EU-Mitgliedstaaten, Mikrophone an dünnen flexiblen Armen, Notizblöcke, bündelweise Schreibgerät: Alles steht oder liegt an Ort und Stelle und harrt seiner Verwendung. In manchen dieser Räume finden sich auch Kabinen für die Dolmetscher, die jeweils von einer der 20 EU-Sprachen in eine andere übersetzen. Das Justus-Lipsius-Gebäude ist gewissermaßen eine Fabrik für EU-Beschlüsse. Und weil die EU kein Staat, sondern ein Netz ist, ist hier das Verhandeln keine Teilzeitbeschäftigung: Verhandlungen finden Tag für Tag und jeden Tag vierundzwanzig Stunden lang statt. Wie das Unternehmen Visa Eigentum der Mitgliedsinstitute ist und von ihnen kontrolliert wird, so bestimmen in der EU die Regierungen der Mitgliedsländer das Aktionsprogramm der Union.

Viermal jährlich treffen im Justus-Lipsius-Gebäude alle Staats- und Regierungschefs der Europäischen Union (der *Europäische Rat*) zusammen – ein Ereignis, das jedes Mal von einem gewaltigen Medienrummel begleitet ist. Der *Europäische Rat* sollte nicht verwechselt werden mit dem *Rat der Europäischen Union*, der achtzig- bis neunzigmal jährlich[5] in wechselnder Zusammensetzung tagt, um als Gesetzgebungsorgan der Union über gemeinsame politische Leitlinien zu entscheiden (weil er sich aus Vertretern der Mitgliedstaaten auf Ministerebene zusammensetzt, wird er kurz »EU-Ministerrat« genannt). Kommen die Außenminister zusammen, spricht man vom »Allgemeinen Rat«; treffen sich die Fachminister, wird die Bezeichnung der Fachrichtung angepasst (Umweltministerrat, Agrarministerrat usw.). Dem Ministerrat arbeitet der *Ausschuss* der Ständigen Vertreter (AStV) zu, der sich aus den Leitern der Ständigen Vertretungen der Mitgliedstaaten zusammensetzt und unter Führung der *Ratspräsidentschaft* die Tagesordnung der Ratssitzungen und die zur Entscheidung vorgelegten Texte aushandelt. Der AStV erarbeitet faktisch 90 Prozent der EU-Gesetze.[6] Unterstützt wird er dabei von *Arbeitsgruppen*, die sich aus beamteten Spezialisten für die diversen Fachgebiete zusammensetzen.

Ein verwickeltes Verfahren, doch gibt es jedem Land beziehungsweise dessen Parlament die Möglichkeit, sein Mitspracherecht wahrzunehmen. Noch bevor in Brüssel Vorlagen zur Entscheidung auf den Tisch kommen, können die einzelnen Parlamente die Regierung ihres Landes anweisen, auf der oder jener im nationalen Interesse liegenden Position zu beharren. Ist eine Entscheidung getroffen, wird sie von den 732 direkt gewählten Abgeordneten des *Europäischen Parlaments*, den Vertretern der Bürger der 25 EU-Staaten, einer skrupulösen Prüfung unterzogen.[7] Über die Einhaltung endgültig angenommener Gesetze wacht als oberster Gerichtshof der *Gerichtshof der Europäischen Gemeinschaften* (kurz: der »Europäische Gerichtshof«; EuGH); seine Richter sind von allen Mitgliedstaaten ernannt.

In Seminarsälen auf der ganzen Welt bemühen sich Historiker und Politikwissenschaftler, die Europäische Union in Kategoriensysteme und Klassifikationsschemata einzuordnen. Unter akademischen Experten ist es schon eine Art Gesellschaftsspiel geworden, darauf zu tippen, welches Staatsmodell die EU letztendlich kopieren wird. Werden es die USA sein, etwa das Konföderationsmodell der 1850er Jahre? Oder geht die Reise in die Richtung einer demokratischen Bundesrepublik nach dem Muster Nachkriegsdeutschlands (West) oder nach dem Vorbild der Schweiz, wo politischen Auseinandersetzungen auf nationaler Ebene weit weniger Bedeutung beigemessen wird als kantonalem Hickhack und den Bedürfnissen einer auf Geheimhaltung pochenden Bankwirtschaft? Manche sagen einen zentralisierten Einheitsstaat mit übermächtiger Bürokratie ähnlich dem napoleonischen Kaiserreich voraus, andere befürchten, dass wir am Ende der Entwicklung in Europa ein politisches System haben werden, das infolge seiner kleinteiligen Gliederung ebenso instabil ist wie einst die französische Vierte Republik. Manche, Amerikaner zumal, können es gar nicht erwarten, die Europäische Union zum Bundesstaat mit einem gewählten Staatsoberhaupt an der Spitze geeint zu sehen auf der Grundlage einer Verfassung, die eine klare Gewaltenteilung à la Montesquieu vorsieht und dem Europäischen Parlament Gesetzgebungskompetenz gleicher Art zuweist, wie Nationalparlamente sie haben. Sie erwarten, kurz gesagt, »eine einzige Telefonnummer«[8] für Europa. Jean Monnets ingeniöse Schöpfung ist jedoch ein politisches Gebilde ganz anderer Art als der traditionelle Nationalstaat.

Manche Föderalisten träumen zwar immer noch von einem Land namens Europa, und mit Europaflagge, Europäischem Reisepass und Europahymne gibt sich die Europäische Union ja auch den Anschein, ein veritablen Staatswesen zu sein, aber dennoch ist und bleibt sie etwas grundsätzlich anderes. Wie das Unternehmen Visa ist sie ein dezentralisiertes Netzwerk, aus dem seine Mitglieder Nutzen ziehen können. Der minimale organisatorische Rahmen belässt die eigentliche Macht bei den Mitgliedstaaten: Für die überwältigende Mehrheit der EU-Beschlüsse gilt, dass es Sache der Mitgliedstaaten ist, sie umzusetzen und ihre Einhaltung zu überwachen. Diese revolutionäre Struktur erlaubt der Europäischen Union dank der Unterstützung ihrer Mitglieder zu wachsen; sie hat aber auch das Wesen der internationalen Politik grundlegend verändert.

Die Abkehr vom Gleichgewicht der Kräfte

Wenn Europa in einem friedlichen 21. Jahrhundert seinen Nutzen aus einer politischen Ordnung ziehen kann, zu der wir die Parallele im Konzept eines amerikanischen Bankers entdeckten, so lässt sich umgekehrt auch in den Schrecknissen, die Europa in der ersten Hälfte des 20. Jahrhunderts erlebte, eine Parallele in dem Konzept eines anderen Bankers sehen, in diesem Fall eines Italieners. Die Rede ist von Lorenzo de' Medici, genannt der Prächtige (»il Magnifico«), dessen Familie im 15. Jahrhundert Florenz regierte. Die fünf Stadtstaaten Florenz, Rom, Neapel, Venedig und Mailand beherrschten damals die Apenninhalbinsel. Alle fünf waren immens reich und stritten untereinander ständig um die Vormacht. Zur damaligen Zeit waren die jährlichen Einkünfte der Stadt Florenz höher als die des Königs von England, und in die Staatsschatulle von Venedig floss doppelt so viel Geld wie in die von England und Spanien zusammen.[9] 1454 schlug Francesco Sforza, der Herzog von Mailand, Lorenzo ein Waffenbündnis vor: Gemeinsam solle man gegen Venedig vorgehen, bevor die Serenissima übermächtig werde. Lorenzo willigte ein unter der Bedingung, Venedig nicht völlig zu vernichten, denn, so gab er zu bedenken, eines Tages werde man vielleicht die militärische Macht Venedigs brauchen, um Rom in die Schranken zu weisen. Lorenzos Antwortschreiben enthielt den historischen Satz: »Die Verhältnisse in Italien müssen im Gleichgewicht gehalten werden.« Und so gilt er als derjenige, der als Erster explizit vom »Machtgleichgewicht« oder »Gleichgewicht der Kräfte« gesprochen hat, einem Prinzip, das ein halbes Jahrtausend lang die politische Ordnung (beziehungsweise Unordnung) in Europa wesentlich bestimmte.[10] Diesem Grundsatz zufolge durfte kein Staat zu übermächtig werden, keiner auf dem Kontinent die Vormacht erringen – das war etwas mechanistisch gedacht, wobei das Bild der Goldwaage des Bankiers mit den austarierten Waagschalen die Inspiration geliefert hatte.

Das geschichtliche Novum der relativ kleinen europäischen Nationalstaaten war – zusammen mit dem Rezept, wie zu verhindern war, dass einer von ihnen sich die Vormacht verschaffte und ein Imperium schuf – Segen und Fluch zugleich. Der erbitterte Wettstreit untereinander führte zur Entwicklung der fortgeschrittensten Technik auf der Welt. Damit bekam ein Kontinent, der aus welthistorischer Sicht ein verschlafenes Krähwinkel war, die Mittel an die Hand, die großen Reiche des Ostens zu erobern und die globale Vorherrschaft zu erlangen.[11] Aber die Logik des »Gleichgewichts der Kräfte« bedeutete auch Krieg ohne Ende: Dreißigjähriger Krieg, Deutsch-Französischer Krieg, Erster Weltkrieg, Zweiter Weltkrieg, Kalter Krieg – lauter Kriege, die dieses oder jenes Land davon abhalten sollten, sich zum Hegemonen aufzuschwingen.

Mit alledem hat es in Europa nun ein Ende. Niemand fürchtet

heute noch ein erstarkendes Frankreich oder Deutschland, denn alle EU-Staaten sind Teil eines Netzwerks, das durch Recht und Satzung zusammengehalten wird.[12] Sie brauchen kein Wettrüsten mehr zu betreiben oder um Bundesgenossen zu wetteifern, denn ihre individuellen Interessen sind geschützt durch wechselseitige Verwundbarkeit, Pooling der Souveränität und Transparenz nationaler Entscheidungsfindung (was seinerzeit in Gorbatschows Reformprogramm als »Glasnost« figurierte; Anm. des Übers.). Doch außerhalb des warmen Schoßes der Europäischen Union hält man weiterhin an dem Grundsatz vom Gleichgewicht der Kräfte fest: im Verhältnis zwischen Indien und Pakistan, im Nahen Osten, in Zentralasien, in Ostasien.

Während also viele Völker und Staaten bemüht sind, sich gegenseitig in Schach zu halten, versucht niemand, das Erstarken der Europäischen Union zu bremsen. Tatsächlich haben die Europäer es geschafft, die Idee der Machtbalance geradezu in ihr Gegenteil zu verkehren. Mit der Macht der EU wächst zugleich die Anziehungskraft, die sie auf ihre Nachbarn ausübt, mit der Folge, dass diese sie nicht bremsen, sondern ihr beitreten möchten. Der amerikanische Politikwissenschaftler Richard Rosecrance legte dar, dass hier zum ersten Mal in der Geschichte eine Großmacht entstanden ist, ohne andere Staaten zur Bildung einer gegnerischen Allianz zu provozieren. In einem hochinteressanten Überblick über die Entstehungsgeschichte von Staaten und Großreichen zeigt Rosecrance, dass bisher jede Großmacht – vom Spanien des 16. Jahrhunderts über Frankreich, Großbritannien und die Vereinigten Staaten im 19., Deutschland, Japan und die Sowjetunion im 20. und die USA im 21. Jahrhundert – ihren Nachbarn Anlass gegeben hat, ein Bündnis gegen sie zu schließen.[13] Aber wieso gelang dann Europa das Kunststück, sich zu einen und zu erstarken, ohne sich Gegner zu schaffen?

Man hat es damit erklärt, dass die EU weniger eine politische, als vielmehr eine ökonomische Supermacht ist. Einer Hypothese von Walter Russell Mead zufolge lockt Wirtschaftsmacht an, während politische Macht Gegner auf dem Plan ruft. Mead erläutert seine Theorie mit dem Hinweis auf den Sonnentau, eine fleischfressende Pflanze: »... ein lieblicher Geruch lockt Insekten zu dessen Quelle, einem klebrigen Sekret. Sobald das Opfer mit dem Sekret in Berührung kommt, klebt es fest, und es gibt kein Entkommen mehr. Das ist das Leimrutenprinzip, und nach diesem Leimrutenprinzip funktioniert auch ökonomische Macht.«[14] Es ist was dran an der Behauptung, dass eine Wirtschaftsmacht bei ihren Nachbarn weniger Befürchtungen weckt als eine politische Supermacht, aber das erklärt nicht, warum die USA, China, Russland und Indien das Wirtschaftswachstum in der EU durchaus wohlwollend betrachten, was ganz und gar nicht der Fall ist, wenn die vier Länder sich in dieser Hinsicht gegenseitig beengen. In den USA hält das Bedürfnis, die Wirtschaftsmacht China zu bremsen, ein ganzes Heer von außenpolitischen Vordenkern auf Trab, obwohl die Leistung der chinesischen Wirtschaft nach manchen Standards noch nicht einmal diejenige Italiens erreicht hat. Aber kaum jemand jenseits des Atlantiks lässt sich graue Haare wegen der Europäischen Union wachsen, deren Wirtschaft die leistungsstärkste der ganzen Welt ist.

Die überzeugendste Erklärung liegt in dem singulären Charakter der Europäischen Union: Sie ist ein Netz, kein Staat. Experten auf dem Gebiet der internationalen Beziehungen haben das Verhältnis der Staaten untereinander mit dem der Kugeln auf einem Billardtisch verglichen. Die Kugeln bestehen aus hartem Material (Elfenbein oder Kunststoff), und stoßen einander ab, wenn sie kollidieren. Nun kommt es zwar zwischen einzelnen Staaten leicht zu einer »Kollision«, aber mit einem Netz zu kollidieren, das sich in seinen Verlautbarungen als ein Gewirr unterschiedlichster Meinungen präsentiert, ist gar nicht so einfach. Anders als eine Billardkugel ist ein Netz – (beziehungsweise ein Verband wie die EU) kein solider, harter Festkörper, sodass, wer sich mit ihm anlegt, oftmals in einen Prozess hineingezogen wird, in dem er es mit verschiedenen Mitgliedern zu tun bekommt. Das überraschendste Beispiel für diesen Vorgang haben wir vor gar nicht so langer Zeit in der Irakkrise erhalten.

Das Tier mit den 25 Köpfen

Der griechische Mythos kennt viele Ungeheuer, aber nur wenige, die beeindruckender sind als die Hydra, die neunköpfige Wasserschlange in den Sümpfen von Lerna in der Argolis. Bei seiner Jagd auf das Ungetüm macht Herakles die Erfahrung, dass für jeden abgeschlagenen Kopf zwei neue nachwachsen. Mit ihren zahlreichen Mitgliedstaaten kommt die Europäische Union einer modernen Hydra schon sehr nahe – wie der damalige US-Außenminister Colin Powell feststellen musste, als er sich 2002 bemühte, in Hinblick auf einen Krieg gegen den Irak eine »Koalition der Willigen« zu schmieden. Jedesmal, wenn er in Europa ein Land hatte bewegen können, dieser Allianz beizutreten, stieß er anschließend auf ein anderes, das ihm die Gefolgschaft verweigerte. Unmittelbar vor der Invasion in den Irak hieß es allgemein, die Amerikaner hätten ihr Ziel erreicht: Es sei ihnen gelungen, einen Keil zwischen die europäischen Nationen zu treiben und einige so weit zu bringen, dass sie sich gegen den Willen der großen Mehrheit der europäischen Bevölkerung dem Irakfeldzug ohne UN-Mandat anschlossen. Am 12. März 2003, acht Tage vor Beginn der Invasion, las man in der *Financial Times* eine Überschrift, die in wenigen Worten die Lage auf den Punkt zu bringen schien: »Der erste Kriegsversehrte: Europa«.[15]

In den Augen der meisten Menschen war dieser Irakkrieg ein Debakel für Europa, und angesichts der politischen Auswirkungen der Krise war ich ebenso bekümmert wie diese. Im Rückblick sind jedoch auch positive Effekte zu erkennen. Der europäische Integrationsprozess hat den transatlantischen Frontalzusammenstoß überlebt, und die Forderung nach einer auf Multilateralität beruhenden internationalen Ordnung ist als Tagesordnungspunkt auf die europäische Agenda zurückgekehrt. Bei aller Uneinigkeit in Bezug auf die Taktik gegenüber den USA teilten sämtliche EU-Staaten stets drei zentrale Ziele: das transatlantische Bündnis zu erhalten, die Autorität der Vereinten Nationen wiederherzustellen und zu verhindern, dass der unilaterale Präventivkrieg zur Norm wird. Und auf die eine oder andere Art und Weise haben die Europäer ihre Ziele auch erreicht – nicht durch Bildung einer Einheitsfront, sondern indem sie sich den Amerikanern als miteinander hadernde Fraktionen präsentierten. Die Verhandlungen im Vorfeld des Krieges erinnerten an ein dramaturgisches Versatzstück von Hollywood-Krimis: Der »fiese Bulle« macht den Verdächtigen mürbe, der »anständige Bulle« gewinnt sein Vertrauen, und zusammen holen die beiden das Geständnis aus ihm heraus.

Als im Jahr 2003 US-Außenminister Donald Rumsfeld die Bundesrepublik Deutschland auf eine Stufe mit Libyen und Kuba stellte und die deutsche Justizministerin eine Parallele zwischen George W. Bush und Hitler zog, sah es so aus, als ob das letzte Stündlein der transatlantischen Beziehung geschlagen hätte. Robert Kagans hoch gehandelte These[16], dass die Vereinigten Staaten und Europa zwei tektonische Platten seien, die aufgrund naturgegebener Umstände zwangsläufig auseinandertreiben würden, schien unwiderleglich bewiesen. Im Rückblick zeigt sich jedoch, dass die Unterstützung des Irakkrieges durch einzelne europäische Staaten der transatlantischen Beziehung das Leben rettete. Solange Bush den britischen Premierminister Blair an seiner Seite brauchte, hatte er Anlass genug, keine zerstörerischen Attacken gegen ein Projekt zu unternehmen, das der britischen Regierung am Herzen lag.

Die Vereinten Nationen waren in den 1990er Jahren marginalisiert und vorgeführt worden – den Massakern an der Zivilbevölkerung in Ruanda und Somalia standen sie machtlos gegenüber, bei der Kosovo-Krise wurden sie übergangen, große Nettozahler hungerten sie mit wachsendem Beitragsrückstand finanziell aus. Im Vorfeld des Irakkrieges wurden sie jedoch zum Forum, auf dem Kriegsbefürworter und Kriegsgegner ihre Argumente austauschten und Beschlüsse über die Rechtsgrundlage eines allfälligen Krieges gefasst wurden. Erstmals seit der Kubakrise von 1962 standen dramatische Auftritte vor dem Weltsicherheitsrat wieder im Mittelpunkt des Medieninteresses, und weltweit sympathisierte die öffentliche Meinung mit der Haltung der UN. Inzwischen haben wir erlebt, dass die USA den von ihnen im Irak installierten »Provisorischen Regierungsrat« von den Vereinten Nationen absegnen ließen (per Weltsicherheitsrat-Resolution 1500 vom 16. August 2003; Anm. des Übers.) – etwas, das zum Zeitpunkt der Invasion noch ganz undenkbar gewesen war.

Das Wichtigste von allem: Die »Bush-Doktrin« (oder »Wolfowitz-Doktrin«) von der Legitimität des unilateralen Präventivkriegs scheint im Wüstensand verschollen zu sein. (Sie wurde 1992 noch von Bush senior und seinem Staatssekretär Paul Wolfowitz konzipiert, aber erst im September 2002 veröffentlicht; Anm. des Übers.) In dieser Nationalen Sicherheitsstrategie der Vereinigten Staaten war unter anderem auch vorgesehen, Präventivschläge gegen potenzielle Gegner zu führen, noch bevor diese eine *direkte* Bedrohung der Sicherheit der USA darstellen. Um das Maß ihrer Hybris voll zu machen, behaupteten die Neokonservativen um George W. Bush, der Sieg der USA im Irak werde einen »demokratischen Domino-Effekt« in den Nachbarländern Iran und Syrien in Gang setzen. Die politischen Lasten und ökonomischen Kosten der Invasion im Irak machen ein weiteres Unternehmen dieser Art auf Jahre hinaus unmöglich. Mit ihrer Weigerung, Truppen in den Irak zu entsenden oder Finanzmittel für den Wiederaufbau des Landes zur Verfügung zu stellen, haben Frankreich und Deutschland die Anwendung der Bush-Doktrin für die Zukunft merklich erschwert.

Dieser Erfolg ergab sich unmittelbar aus der Struktur der EU. Während die US-Regierung im Umgang mit den Europäern ihre Politik des *Divide et impera* (Teile und herrsche) verfolgte – und dabei mit jedem Kopf der Hydra separat verhandelte –, ließen die einzelnen Köpfe einander nicht aus den Augen und richteten ihr eigenes Verhalten nach dem, was sie da registrierten. Die Wahl ihrer Position trafen die einzelnen Staaten mit Sicherheit nicht nach einem »Masterplan«, und im gleichen Maß, wie die Krise ihrem Höhepunkt näherrückte, versiegte das Gespräch zwischen den antagonistischen Lagern. Aber jede europäische Staatsführung handelte in dem zuverlässigen Wissen, was die anderen machten. Die Franzosen und die Deutschen konnten sich ihr schroffes Nein nur leisten, weil sie wussten, dass die Führungsriege des »neuen Europa« – Blair, Aznar, Miller und Berlusconi – die guten Beziehungen zu Bush aufrechterhalten würde. Ebenso war Blair klar, dass die Aktion der Amerikaner, mochte sie ihm an Unterstützung abverlangen, was sie wollte, aufgrund des außerordentlich starken Widerstands in Frankreich und Deutschland, aller Voraussicht nach eine einmalige Angelegenheit ohne Neuauflage in Syrien oder dem Iran bleiben würde. Der ausgeprägte Konsens der europäischen Mächte in Bezug auf die strategischen Ziele (»Atlantizismus«, Eintreten für das Völkerrecht und Ablehnung des unilateralen Präventivkriegs) bedeutete, dass auch ohne formelle Abstimmung der einzelstaatlichen Positionen letztendlich wohl diese Grundprinzipien durchschlagen würden.

Die Europäische Union hat nicht einfach einen »anständigen Bullen« und einen »fiesen Bullen« im Repertoire: Sie gleicht einer ganzen Polizeitruppe von anständigen und fiesen Bullen. Ein außereuropäischer Staat wird im europäischen Verband immer einen Ansprechpartner finden, der Verständnis für seine Anliegen hat, und das führt in der Regel zu einem Verhandlungsprozess, aus dem in vielen Fällen schwer wieder auszusteigen ist. Die »anständigen Bullen« verschanzen sich dann oft hinter den »fiesen Bullen« im EU-Verband und ringen so ihrem Gesprächspartner Zugeständnisse ab. So sorgte beispielsweise der Umstand, dass sich Großbritannien und die nordischen Länder für die Osterweiterung starkmachten, dafür, dass die mittel- und osteuropäischen Staaten »bei der Stange blieben«, nachdem sie mit schmerzhaften inneren Reformen begonnen hatten. Gleichzeitig ermöglichte es die von Frankreich bekundete Skepsis der Europäischen Kommission, sie in den langwierigen Beitrittsverhandlungen zu Zugeständnissen zu bewegen. Die dabei in Erscheinung tretenden Meinungsverschiedenheiten sind zwar echt, gleichwohl haben alle EU-Staaten – und das ist das Wesentliche an diesem »anständiger Bulle«/»fieser Bulle«-Kräftespiel – im Prinzip die gleichen Ziele: Multilateralität, Demokratie, Schutz der Menschenrechte und die Herrschaft des Völkerrechts, dazu Diplomatie und taktisches Verhandeln statt militärischer Gewalt. Deshalb sehen sich Staaten, die europäische Nationen gegeneinander auszuspielen versuchen, in aller Regel erst einmal wieder auf diese Grundprinzipien eingeschworen.

Ungeachtet dieses nun wirklich nicht geringen Erfolgs sind viele Europa-Enthusiasten keine Verfechter eines »vernetzten Europas«. Selbst wer anerkennt, welchen Nutzen die Vernetzung wie bei Visa unter dem wirtschaftspolitischen Blickwinkel den Mitgliedern des Verbands bringt (in Gestalt von Rationalisierungseffekten, Degressionsgewinnen und sonstigen positiven *economies of scale*) meint, dass sie unter dem außenpolitischen Aspekt vollkommen nutzlos sei. Wie wir jedoch gesehen haben, ist die EU dank Vernetzung zu einer ernst zu nehmenden Weltmacht geworden, die in ihrer Umgebung das Prinzip der Machtbalance nicht nur außer Kraft gesetzt, sondern geradezu ins Gegenteil verkehrt hat.

Unser »vernetztes Europa« ist als solches nicht bewusst geplant worden. Es ist das Ergebnis einer unsicheren Waffenruhe zwischen jenen, die einen europäischen Superstaat im Auge haben, und jenen anderen, denen es um nichts weiter als eine europäische Freihandelszone geht, wobei keine dieser traditionsverhafteten Visionen einhellige Zustimmung gefunden hat. Und daran wird sich nichts ändern. Bei der zukünftigen Entwicklung der EU müssen wir an ihrer außergewöhnlichen Struktur festhalten und uns darauf konzentrieren, für uns alle vorteilhafte Reformen an ihr durchzuführen.

Selbstverständlich müssen wir besser mit innereuropäischen Divergenzen umgehen lernen. Der Streit über die Irakpolitik hat tiefe Wunden geschlagen, und Europa kann es sich nicht leisten, jedes Mal, wenn ein größeres weltpolitisches Problem auftaucht, in zerstrittene Lager zu zerfallen. Eine Lehre aus dem Irakkrieg lautet, dass die Europäer in der internationalen Politik mehr Einfluss gewinnen können, wenn sie sich auf eine gemeinsame Position verständigen, *bevor* eine Krise akut wird – wie sie es ja bereits angesichts des iranischen Atomprogramms getan haben. Wir müssen allerdings auch begreifen, dass eine nachhaltige Gegensätzlichkeit der Ansichten eher eine Stärke als eine Schwäche ist und dass das innere Gefüge der EU robust genug ist, um selbst Meinungsverschiedenheiten extremster Art verkraften zu können. Samuel Beckett rät für den Fall, dass man im ersten Anlauf scheitert: »*Fail. Fail again. Fail better.*« (»Setz es in den Sand. Setz es noch mal in den Sand. Setz es besser in den Sand.«) Die Genialität der Europäer besteht darin, dass sie sich nicht entmutigen lassen und immer weitermachen mit ihrem Versuch. Und aus jedem Fehlschlag sind sie bis jetzt gestärkt hervorgegangen.

KAPITEL 3
Europas Waffe: das Recht

Die milden Gesichtszüge des Hans Blix waren im Frühjahr 2003 von unseren Fernsehschirmen und aus den Zeitungen schier gar nicht mehr wegzudenken. Dank seiner Waffeninspektionen war der Exdiplomat mit der sanften Stimme für uns zur verkörperten Friedenshoffnung geworden. Als Zweiter war der Strahlemann Donald Rumsfeld in jenen spannungsgeladenen Monaten in den Medien allgegenwärtig: Der raubeinige US-Verteidigungsminister versprach, dass er den Kampfeswillen der Iraker brechen werde – aber nicht durch Inspektionen, sondern indem er die Iraker mittels *shock and awe* (»Schock und Einschüchterung«) unterwerfen werde.

Dieser Gegensatz war nicht auf die Lage im Irak beschränkt. Die beiden Männer waren die Exponenten einander widerstreitender Weltbilder: Die auf überlegene Waffentechnik gestützte Kampfbereitschaft des US-Militärs stand in direktem Kontrast zur Bevorzugung von Verhandlungen und Inspektionen auf Seiten der Vereinten Nationen. Wollten die einen die Iraker mit spektakulären Machtdemonstrationen zur Räson bringen, so meinten die anderen, in permanenter Überwachung das probate Mittel gefunden zu haben.

Leider waren beide Haltungen lediglich zwei Seiten ein und derselben Unzweckmäßigkeit, denn beide liefen sie auf den Versuch hinaus, den Irak *von außen* zu kontrollieren. Anders als die »transformative« Macht der Europäischen Union, die Nationen dauerhaft umgestaltet, wirkt jene Art Macht nur für die Dauer einer Krise und dann auch nur, solange während dieser Krise gewaltiger internationaler Druck besteht und zu diesem Zweck beachtliche internationale Ressourcen aufgeboten werden. Sobald die Medien und der ganze politische Zirkus abziehen, ist das alte Problem wieder da.

Die Bush-Regierung hat die Irakkrise dazu genutzt, die Beharrlichkeit, mit der die Europäer auf der Einhaltung des Völkerrechts bestehen, als ein Zeichen tödlicher Schwäche vorzuführen. Die EU sollte demnach als ein moderner Prometheus erscheinen, der, von bürokratischen Formalien gefesselt, zur Beute mörderischer Raubtiere wird. Aber was hat denn letzten Endes die Brutstätte von Kriegen, die Europa über Jahrhunderte war, in ein Förderband, das Frieden und Fortschritt in andere Länder transportiert, verwandelt? Die einfache Antwort lautet: das Völkerrecht. Das Recht ist bei Europas Feldzug zur Veränderung der Welt die Waffe erster Wahl.

Ostentative Macht

Von Machiavelli stammt das berühmte Diktum, es sei besser, gefürchtet als geliebt zu sein. Im selben Atemzug mahnt er aber auch an, dass es entscheidend darauf ankomme, nicht *gehasst* zu werden. Den zweiten Teil der Direktive schlug Donald Rumsfeld in den Wind, als er dem Pentagon die Strategie *shock and awe* verordnete. Der Report der National Defense University, in dem dieser Begriff erstmals auftauchte, plädierte für Demonstrationen der Feuerkraft so drastischer Art, dass Gegnern der USA damit die Kampflust ebenso gründlich ausgetrieben würde, wie die Atombombenabwürfe auf Hiroshima und Nagasaki das seinerzeit bei den Japanern bewerkstelligt hatten.[1] In einer Epoche des Terrors hielten Rumsfeld und seine Kabinettskollegen es für richtig, den Spieß umzudrehen. Man würde Gewalt anwenden, aber nicht, um ein bestimmtes taktisches Ziel zu erreichen – etwa eine Stadt zu erobern oder eine Waffenfabrik zu zerstören –, sondern die Gewaltanwendung sollte Selbstzweck sein: ein Instrument, mit dem man »Tyrannen und Terroristen« rund um den Globus zu disziplinieren beabsichtigte.

Shock and awe war Teil einer umfassenderen Strategie, die der Bedrohungslage in der Post-9/11-Ära gerecht werden sollte, die man vor allem dadurch gekennzeichnet sah, dass Terroristen über »Schurkenstaaten« an Massenvernichtungswaffen kommen könnten. Präventivschläge sollten der Abschreckungstheorie zu neuer Geltung verhelfen, indem sie unmissverständlich klarmachten, dass die USA gegen jeden Staat, der erwog, technologisches Zerstörungspotenzial an Terroristen weiterzugeben, hart durchgreifen würden. Indem er am Irak ein Exempel statuierte – so Rumsfelds Überlegung –, würde er dem Iran, Syrien, Nordkorea und anderen Staaten, die über den Besitz von Massenvernichtungswaffen nachdachten, eine deutliche Botschaft zukommen lassen.

Der Einsatz von brutaler Gewalt zu dem Zweck, für andere ein Zeichen zu setzen, ist nichts Neues. Nur dass dieses Konzept der Schaustellung von Macht heute mit den technischen Mitteln des 21. Jahrhunderts perfektioniert werden kann: mit Splitterbomben (der makabre Humor der Militärs bezeichnet sie als *daisy cutters*, »Gänseblümchenmäher«), »bunkerbrechenden« Atomsprengköpfen, F-16-Geschwadern und dergleichen. Das Dumme an der für Demonstrationszwecke instrumentalisierten Gewalt ist nur, dass ihre Wirkung sich bei wiederholter Anwendung bald abschwächt.

Die Herrscher früherer Epochen etwa mussten neben anderen Formen verschärfter Gewaltanwendung immer grausigere Hinrichtungsmethoden zur Schau stellen – man denke zum Beispiel an die Übelkeit erregende Exekution des Robert-François Damiens. Im Jahr 1757 hatte er mit einem Messer ein Attentat auf den französischen König Ludwig XV. verübt, woraufhin er als »Königsmörder« von vier Pferden in Stücke gerissen wurde (freilich erst, nachdem er mit glühenden Zangen gefoltert und flüssiges Wachs, Blei und kochendes Öl in seine Wunden gegossen worden war; Anm. des Übers.). Doch selbst wo es gelingt, die Furcht aufrechtzuerhalten, wird diese Abschreckungsmethode mit der Zeit immer kostenintensiver und schließlich auch kontraproduktiv, weil sie die Menschen, die sie unter Kontrolle bringen soll, mit explosiven Ressentiments erfüllt.

So geschehen im Irak. Von 1991 bis 2003 hat man dort fast monatlich Feuerkraft demonstriert, um das Regime in Trab zu halten. Als an der Erfolglosigkeit dieser Strategie kein Zweifel mehr möglich war, zwang die Logik ihrer Position die Alliierten zum Einmarsch. Zunächst war das von Erfolg gekrönt. Das Saddam-Regime wurde beseitigt. Iran, Syrien und Libyen waren durch die Brutalität, mit der die Invasoren vorgingen, anfangs eingeschüchtert. Doch damit war es bald vorbei. Dass 130 000 amerikanische Besatzer der Lage im Irak nicht Herr werden, gibt den Regimen in Teheran und Damaskus wachsenden Auftrieb. Und während die fortdauernde Anwesenheit fremder Truppen im Irak magnetisch Aufrührer ins Land zieht, beobachten die syrischen und iranischen Machthaber mit Erleichterung, wie aus einem potenziell populären Befreiungskrieg eine unpopuläre blutige Okkupation wird.

Wie auch immer: Diese ostentative Machtausübung hat eine fatale Schwäche – sie ist ihrer Natur nach rein destruktiv. Sie kann Menschen von Untaten abhalten, aber sie ist ein untaugliches Mittel, wenn es um Aufbau und Verwaltung eines komplexen Gemeinwesens geht. In Afghanistan bereitete es den alliierten Invasoren keine großen Schwierigkeiten, das Taliban-Regime zu beseitigen, aber Afghanistan von Grund auf wiederaufzubauen ist den Alliierten misslungen. Einer demokratischen Tünche zum Trotz funktioniert das alte System (Herrschaft der Kriegsherren, Korruption und Nepotismus) sehr real weiter. Wie sagte doch ein GI mit trockenem Humor: »Wir waren der Meinung, dass wir die Nordallianz gekauft hätten, aber jetzt stellt sich heraus, dass wir sie nur gemietet hatten.« Kaum war die Aufmerksamkeit der Supermacht durch den Irakkrieg abgelenkt, begann in der Afghanischen Republik ihre gestalterische Macht zu schwinden.

Die Zurschaustellung von Macht um der Signalwirkung willen ist ineffektiv, weil sie stets darauf hinausläuft, auf unwillige Objekte von außen her Zwang auszuüben. Die betroffene Gesellschaft wird nicht von innen heraus umstrukturiert. In modernen Gesellschaften ist man deswegen von der »ostentativen Macht« zur »Macht in Form von Überwachung« übergegangen.

Machtausübung in Form von Überwachung

Der französische Philosoph Michel Foucault hat dargelegt, dass fortgeschrittene Gesellschaften um die Wende vom 18. zum 19. Jahrhundert davon abkommen, auf den Abschreckungseffekt spektakulär inszenierter Gewaltanwendung zu bauen, und zu einer Form der Disziplinierung übergehen, die darin besteht, die potenziellen Objekte der Machtausübung in einen »bewussten und permanenten Sichtbarkeitszustand« zu versetzen – mittels Reglementierung, Meldepflicht, Ausweispflicht, Videoüberwachung usw. Laut Foucault kostet die Kontrolle der Gesellschaft den modernen Staat dank des Wechsels von der Zurschaustellung von Macht zur Überwachung nur noch einen Bruchteil dessen, was das Ancien Régime für den gleichen Zweck ausgeben musste. Den Durchbruch brachten hier Methoden der systematischen Registrierung und Kontrolle des Verhaltens der Bürger mittels Zeitplänen, Personalpapieren, Fotos, Krankenblättern und Gesetzen.

Die Waffeninspektionen der Vereinten Nationen wurden angesetzt, weil der Einsatz militärischer Macht teuer und seine Wirkung von kurzer Dauer ist. Nachdem eine Resolution des Weltsicherheitsrates Saddam Hussein klargemacht hatte, dass die Völkergemeinschaft darauf bestand, die von ihm eigenhändig unterzeichneten Verträge einzuhalten, sah sich die UN legitimiert, im Irak Veränderungen herbeizuführen. Man schickte Hans Blix und Mohammed el-Baradei ins Zweistromland, damit sie dort Saddams Angaben über die Zerstörung irakischer Massenvernichtungswaffen doppelt und dreifach nachprüften, sodass man diesbezüglich nicht auf die Glaubwürdigkeit des Diktators angewiesen war. Waffeninspektionen sind das genaue Gegenteil von ostentativer Machtausübung: Nicht die Stärke von Hans Blix und seinem Team musste sichtbar gemacht werden, sondern das Verhalten des irakischen Regimes und die inspizierten Anlagen. Dies war Macht in Form von Überwachung.

Und was noch wichtiger war: Es funktionierte – eine Zeit lang jedenfalls. Im Rückblick zeigt sich, dass die britischen und amerikanischen Geheimdienste mit ihren Erkenntnissen darüber, was im Irak vorging, grandios danebenlagen, die UN-Inspekteure hingegen die Sachlage ganz richtig gesehen hatten. Zwischen 1991 und 1998 räumten die Inspekteure das irakische Arsenal biologischer und chemischer Waffen fast völlig leer, darüber hinaus deckten sie geheime Geschäfte zwischen dem Irak und über 500 Firmen in mehr als 40 Ländern auf. In den vier Monaten, die den Inspekteuren vor dem Einmarsch der Alliierten zur Überprüfung irakischer Angaben zur Verfügung standen, fanden sie mehr heraus als alle Geheimdienste der Welt zusammen.[2]

Freilich, die Überwachungspolitik der UN im Irak wäre nicht möglich gewesen, wenn nicht das Gespenst der amerikanischen Militärmacht im Hintergrund gespukt hätte. Hätte es nicht im Jahr 1991 eine erste Invasion des Irak gegeben, wäre wohl das UNSCOM-Team nie ins Land gelassen worden. Und ohne die Gefahr einer zweiten Invasion (Ende 2002/Anfang 2003) hätte Hans Blix nie das nötige Maß an Autorität erlangt, um von den Irakern Rechenschaftslegung fordern zu können. Problematisch bei dem UN-Modell ist (wie sich auch im Fall Iran zeigt), dass es die *von außen kommende* Gewaltandrohung durch eine *von außen kommende* Überwachungsandrohung ersetzt. Inspekteure zu schicken ist zwar Bombardements unbedingt vorzuziehen, das ändert jedoch nichts daran, dass auch Inspekteure den Charakter eines Regimes und, wichtiger noch, einer Gesellschaft nicht ändern können.

Wirksame Machtausübung, so lautet Foucaults eigentliche Einsicht, beruht weniger auf militärischer Stärke und technischem Abschreckungspotenzial als auf einer Legitimation, indem die Unterworfenen selbst an der Aufrechterhaltung der Macht mitwirken. Das Sinnbild einer aufkommenden »Überwachungsgesellschaft« entdeckte Foucault im »Panopticon«, einer von Jeremy Bentham (1748–1832), dem exzentrischen Begründer des Utilitarismus, entworfenen Gefängnisanlage.*

Der Aufseher bleibt den Insassen der Zellen hinter einer Jalousie verborgen, während er nach außen spähen kann. Da die Häftlinge nicht wissen können, ob der Aufseher auf seinem Posten ist oder nicht, müssen sie jederzeit davon ausgehen, überwacht zu werden. Anders gesagt: Selbst wenn der Aufseher gar nicht anwesend ist, müssen sie sich entsprechend verhalten. Eine große Anlage mit Dutzenden von Zellen kann so von einem einzigen Aufseher überwacht werden. Praktisch wird jeder Insasse zu seinem eigenen Aufseher und überwacht sich selbst. Sobald das passiert, ist die Überwachung zum Automatismus geworden und der Aufseher überflüssig.**

Die Waffeninspektionen im Irak waren jedoch von einer Überwachung à la Panopticon weit entfernt. Zwar ähnelte Hans Blix

---

* »An der Peripherie ein ringförmiges Gebäude; in der Mitte ein Turm, der von breiten Fenstern durchbrochen ist, welche sich nach der Innenseite des Ringes öffnen; das Ringgebäude ist in Zellen unterteilt, von denen jede durch die gesamte Tiefe des Gebäudes reicht; sie haben jeweils zwei Fenster, eines nach innen, das auf die Fenster des Turmes gerichtet ist, und eines nach außen, sodass die Zelle auf beiden Seiten von Licht durchdrungen wird. Es genügt demnach, einen Aufseher im Turm aufzustellen und in jeder Zelle einen Irren, einen Kranken, einen Sträfling, einen Arbeiter oder einen Schüler unterzubringen. Vor dem Gegenlicht lassen sich vom Turm aus die kleinen Gefangenensilhouetten in den Zellen des Ringes genau ausnehmen.« (Anm. d. Übers.)

** »Derjenige, welcher der Sichtbarkeit unterworfen ist und dies weiß, übernimmt die Zwangsmittel der Macht und spielt sie gegen sich selber aus; er internalisiert das Machtverhältnis, in welchem er gleichzeitig beide Rollen spielt; er wird zum Prinzip seiner eigenen Unterwerfung. … Die Macht wird tendenziell unkörperlich, und je mehr sie sich diesem Grenzwert annähert, umso beständiger, tiefer, endgültiger und anpassungsfähiger werden ihre Wirkungen.« (Anm. d. Übers.)

durchaus einem einsamen Aufseher, aber seine Aufgabe erstreckte sich auf ein weitläufiges Gefängnis, dessen Insassen die Regeln der Völkergemeinschaft noch längst nicht internalisiert hatten. Um die Iraker dazu zu bringen, sich ihren Regeln zu unterwerfen, hätten die Vereinten Nationen sie mit einem radikaleren Überwachungskonzept konfrontieren müssen – nämlich mit dem Überwachungsmodell, das die Europäische Union innerhalb ihrer Grenzen verwirklicht hat.

Die EU als Überwachungsgesellschaft

Das Projekt der europäischen Integration erwuchs aus dem Wunsch, von einer Machtpolitik nach dem Motto »Macht schafft Recht« loszukommen und zu einer auf die Herrschaft des Rechts gegründeten Gemeinschaft zu finden. Angetrieben von diesem Verlangen stellten die Europäer nicht wenige Grundprinzipien der Souveränität auf den Kopf. Bis zur Gründung der Europäischen Union meinte der Begriff der staatlichen »Souveränität« die *unbeschränkte* Hoheitsgewalt, die Unabhängigkeit von anderen Staaten einschloss; in der Praxis bedeutete dies, dass der einzelne Staat andere auf Abstand hielt und sich im politischen Geschäft von ihnen nicht in die Karten schauen ließ. Aber mit dem Entschluss zur Integration – Robert Cooper hat es in *The Breaking of Nations* ausgeführt – gaben die einzelnen europäischen Nationen es auf, ihren souveränen Staat eifersüchtig gegen jede Einmischung von außen abzuschirmen, vielmehr machten sie gegenseitiges Mitbestimmen und Überwachen zur Basis ihrer Sicherheit.

Die europäischen Nationen, so kann man sagen, haben die zwischenstaatlichen Beziehungen innerhalb der EU in Angelegenheiten der Innenpolitik verwandelt. Im Laufe der letzten 50 Jahre haben sich die Führungsspitzen der EU-Länder auf Tausende gemeinsamer Normen, Gesetze und Richtlinien geeinigt. In gedruckter Form füllen diese Beschlüsse (offiziell als *acquis com-*

*munautaire** bezeichnet) 31 Bände – das sind zusammen rund 80 000 Seiten voller Regelungen, die von den Menschenrechten bis zum Verbraucherschutz jede Facette des täglichen Lebens betreffen.

Der »Acquis« greift nicht deswegen, weil da ein europäischer Staat wäre, der eine Art polizeilicher Kontrolle ausübte und von störrischen anderen Staaten, die die Beschlüsse nicht umsetzen, den Vollzug erzwänge, sondern weil alle EU-Staaten einig sind in dem Willen, ihr Unternehmen zum Erfolg zu führen. Jedes Mitgliedsland fordert von den anderen, dass sie sich an den »Acquis« halten, und kann deshalb natürlich nicht umhin, sich auch selbst dieser Forderung zu unterwerfen. Schon viele haben sich über etwas beklagt, was sie als »überzogenen Euro-Bürokratismus« bezeichnen; paradoxerweise können jedoch die Institutionen der EU gerade deswegen schlank bleiben, weil das Gesetzbuch der Union so dick ist.

Der erste Präsident der Europäischen Kommission brachte das auf den Punkt, indem er argumentierte, dass das Recht Europas stärkste Waffe ist: »Die Gemeinschaft ist eine Schöpfung des Rechts auf der Basis von Staatsverträgen … Die Gemeinschaft verfügt über keinerlei Zwangsmittel, ihre Autorität auf direktem Weg zur Geltung zu bringen; sie besitzt weder eine Armee noch

---

* Dieser französische Begriff heißt übersetzt »gemeinschaftlicher Besitzstand« und bedeutet im Wesentlichen »die EU – so wie sie sich zum jetzigen Zeitpunkt darstellt« – mit anderen Worten, die Summe der gemeinsamen Rechte und Verpflichtungen der EU-Mitgliedstaaten. Der »Acquis« umfasst alle EU-Verträge und -Gesetze, Erklärungen und Entschließungen, internationale Übereinkommen zu EU-Angelegenheiten sowie die Urteile des Gerichtshofs. Zu ihm gehören auch gemeinsame Maßnahmen der Regierungen der EU-Mitgliedstaaten im Bereich »Justiz und Inneres« sowie in der gemeinsamen Außen- und Sicherheitspolitik. Die »Übernahme des Acquis« bedeutet daher, dass man die EU so akzeptiert, wie man sie vorfindet. Die Bewerberländer müssen den »Acquis« vor ihrem Beitritt zur EU akzeptieren und die EU-Rechtsvorschriften in ihr nationales Recht umsetzen. (Anm. des Übers.)

eine Polizei. Ihr Verwaltungsapparat ist klein, und selbst auf diesem Gebiet ist sie in großem Umfang auf die Mitgliedstaaten angewiesen.«[4] Wie wir schon gesehen haben, treten die Organe der Europäischen Union selbst kaum in Erscheinung, vielmehr realisiert sich die Macht der EU in einem Überwachungsprozess, durch den Politiker, Beamte und Bürger europäische Normen internalisieren, sodass sie ihrerseits zu den Sachwaltern der europäischen Integration werden. Heute steht die Union vor der großen Herausforderung, unter Beweis zu stellen, dass diese Ordnungsvision ein auch außerhalb der EU-Mitgliedstaaten nutzbringend verwertbarer Exportartikel ist.

Den Wirkungsbereich des europäischen Rechts ausweiten

Nach dem Zusammenbruch des kommunistischen Systems in Mittel- und Osteuropa sahen die besten und hellsten Köpfe unter den Sachverständigen in weltpolitischen Fragen den Rückfall Europas in jenen Zustand voraus, in dem es einst der Brutherd von Weltkriegen gewesen war. In einschlägigen Journalen wurde prognostiziert, dass ein wiedererstandenes, wiedervereintes Deutschland über seine Grenzen hinausdrängen und entweder Polen, Tschechien oder Österreich angreifen werde, dass zwischen Ungarn und Rumänien ein ethnischer Konflikt ausbrechen werde und dass es zu einem neuen Rüstungswettlauf, diesmal zwischen Deutschland und Russland, kommen werde.[5] Doch in Wirklichkeit trat der am wenigsten wahrscheinliche von allen denkbaren Fällen ein: In weniger als anderthalb Jahrzehnten nach dem Untergang des Kommunismus wurden Mittel- und Osteuropa zur Heimat freiheitlicher Demokratien und von der EU als Beitrittskandidaten akzeptiert. (Im Zuge der dritten Osterweiterung 2004 sind sie ihr großteils auch schon beigetreten; Anm. des Übers.) Wie hat die Union dieses Wunder in der Sphäre der internationalen Beziehungen zuwege gebracht?

Robert Cooper zufolge begann das Ganze, als mit dem im KSE-Vertrag beschlossenen Informations- und Verifikationssystem erstmals ein Überwachungsregime europäischer Prägung auf das Territorium der ehemaligen Sowjetunion gelangte. Der am 19. November 1990 in Paris unterzeichnete »Vertrag über Konventionelle Streitkräfte in Europa« setzte den Schlusspunkt unter den Kalten Krieg. Um ein ausgeglichenes militärisches Kräfteverhältnis zu schaffen und so letzten Endes Überraschungangriffen und groß angelegten Offensivhandlungen vorzubeugen, legte der KSE-Vertrag Höchstgrenzen für die konventionellen Waffensysteme der Mitgliedstaaten von NATO und Warschauer Pakt fest. 1995, am Ende der Reduzierungsphase, hatten die 30 Unterzeichnerstaaten 52 000 Waffensysteme umgebaut oder zerstört (Kampfpanzer, gepanzerte Kampffahrzeuge, Artilleriewaffen, Kampfflugzeuge und Angriffshubschrauber; bis 2003 waren es sogar 59 000; Anm. des Übers.). Verifiziert wurde der Sachverhalt mittels Tausender Vor-Ort-Inspektionen militärischer Einrichtungen.[6] Jahrhundertelang hatten die Europäer unter dem Diktum des Gleichgewichts der Kräfte auf spektakuläre militärische Übergriffe geschworen oder auf gigantische Waffenarsenale, um Feinde zu zerstören. Dann löste ein einziger Vertrag diese Geschichte der Zurschaustellung von Macht durch ein neues, auf Überwachung basierendes System ab.

Das wahrhaft Sensationelle dabei war, dass allein schon die Tatsache der Überwachung dieser Waffensysteme ausreichte, um den Beteiligten den Wunsch zu nehmen, Gebrauch von ihnen zu machen.[7] Indem man sich mit den anderen und ihren Angelegenheiten befasste, lernten Europa und der ehemalige Ostblock nach und nach, einander nicht mehr als Feinde zu sehen, sondern als Partner zu begreifen. Ursprüngliches Ziel des KSE-Vertrags war es gewesen, durch vollständigen Informationsaustausch zwischen den Blöcken das Kräftegleichgewicht effizienter auszutarieren: Wenn beide Seiten ihre Arsenale Inspekteuren öffneten, würde sich eher das beiderseits erwünschte vollkommene Gleichgewicht herstellen lassen. Und indem man dieses Gleichgewicht auf niedrigem Rüstungsniveau suchte, könnten beide Seiten aufhören, mit Hilfe kostbarer Ressourcen gigantische Waffenarsenale aufzubauen, und stattdessen in das Gemeinwohl investieren. Zwei rivalisierende Blöcke wurden so zur Sicherheitsgemeinschaft mit einem gemeinsamen Interesse an der Aufrechterhaltung des Systems. Da diese zwei Blöcke nun eine Gemeinschaft bildeten, wurde der ursprüngliche Zweck der Veranstaltung – Sicherung des Kräftegleichgewichts – zur Nebensache. Der KSE-Vertrag hatte unbeabsichtigte Folgen, die unsere Vorstellung von dem Machtpotenzial, das die Wirkung von Überwachung birgt, revolutionierten.

Was der KSE-Vertrag festlegte, unterschied sich von den Waffeninspektionen im Irak insofern, als die Betroffenen den Inspektionen zugestimmt hatten und das Ganze auf Gegenseitigkeit beruhte – mit anderen Worten, die Überwachung betraf beide Seiten und lag im beiderseitigen Interesse. Es ging um die Sicherung des für beide Parteien vorteilhaften Friedens, folglich konnte die Überwachung ohne militärische Drohkulisse auf die Tagesordnung gesetzt werden. Nachdem erst einmal die militärischen Hemmnisse abgebaut waren, konnte in der Region der politische Wandlungsprozess beginnen – zunächst mit der Osterweiterung der NATO und dann vor allem der EU.

Die Europäische Union öffnete nicht einfach sperrangelweit ihre Pforten und hieß die östlichen Nachbarn eintreten. Die Mitgliedschaft im Klub war für die Beitrittswilligen nur um den Preis tief greifender innerer Reformen zu haben. Als Bedingungen für einen Beitritt formulierte die EU 1993 auf dem Europäischen Rat von Kopenhagen eine Reihe von Kriterien, die sogenannten »Kopenhagener Kriterien«, die alle Beitrittsländer erfüllen müssen:

> Als Voraussetzung für die Mitgliedschaft muss der Beitrittskandidat eine institutionelle Stabilität als Garantie für demokratische und rechtsstaatliche Ordnung, für die Wahrung der Menschenrechte sowie die Achtung und den Schutz von Minderheiten verwirklicht haben; sie erfordert ferner eine funk-

tionsfähige Marktwirtschaft sowie die Fähigkeit, dem Wettbewerbsdruck und den Marktkräften innerhalb der Union standzuhalten. Die Mitgliedschaft setzt außerdem voraus, dass die einzelnen Beitrittskandidaten die aus einer Mitgliedschaft erwachsenden Verpflichtungen übernehmen und sich auch die Ziele der politischen Union sowie der Wirtschafts- und Währungsunion zu eigen machen können.[8]

Anders gesagt, alle beitrittswilligen Länder mussten ein 80 000 Seiten umfassendes Paket von EU-Verträgen und -Gesetzen schlucken und in nationales Recht umsetzen. Dabei verließ sich die Union nicht auf ein gegebenes Wort, sondern schickte jeweils ein Heer von beamteten Helfern und Kontrolleuren zu den einzelnen Beitrittskandidaten, damit sie in Zusammenarbeit mit den Verantwortlichen vor Ort für die Einhaltung der Kriterien sorgten.

Das lief für diese Länder auf nichts Geringeres als einen grundlegenden Umbau des Systems hinaus – einen Wandel, der die Rückkehr zum früheren Zustand für alle Zeit ausschließt. Das EU-Modell ist das politische Gegenstück zu der Strategie der Jesuiten: Wenn du ein Land gleich zu Beginn änderst, wird es dir auf ewig gehören.

Das Recht als Instrument der Außenpolitik

Der Schlüssel zu ihrem Erfolg, das haben die Europäer begriffen, liegt darin, dass die Überwachung, die sie praktizieren, eine gegenseitige und beiderseits gebilligte ist. Sie lässt sich ohne großen Kostenaufwand ins Werk setzen, benötigt nicht den Aufbau einer gigantischen Disziplinierungsmaschinerie. Ein ganzes Heer von EU-Beobachtern wacht inzwischen überall auf der Welt über die Einhaltung rechtsstaatlicher Grundsätze, namentlich bei Wahlen. Dass die EU-Länder sich für die Völkerrechtsnormen starkmachen, hat nicht zuletzt auch darin seinen Grund, dass die Europäische Union selbst auf einem internationalen Vertragswerk basiert. EU-Mitglieder glauben deshalb daran, dass internationale Politik nicht den Boden des Völkerrechts verlassen darf und dass das Recht überhaupt eine friedliche, demokratische Ordnung fest zu verankern vermag.

Auf gewissen Wegen hat diese Einstellung die Bildung neuer gemeinsamer Märkte in Afrika, Asien und Lateinamerika gefördert. Da die EU zunehmend Selbstsicherheit und globalen Ehrgeiz entwickelt, bemüht sie sich um die Gründung regionaler Interessengemeinschaften, deren Sicherheit durch Transparenz und gegenseitige Überwachung garantiert ist. So gelang es beispielsweise dem britischen Premier Tony Blair Anfang 2000, den südafrikanischen Präsidenten Mbeki und den nigerianischen Präsidenten Obasanjo davon zu überzeugen, dass gegenseitige Überwachung auch für Afrika leisten könne, was sie bereits in Europa bewirkt hat. Zusammen mit den Regierungschefs von Algerien, dem Senegal und Ägypten gründeten die beiden daraufhin die »Neue Partnerschaft für Afrikanische Entwicklung«: Afrikanische Länder erlegten sich eine Selbstverpflichtung auf zur Förderung von Demokratie und Rechtsstaatlichkeit; dafür erwarten sie nun von den Industrieländern verstärkte Unterstützung und einen massiven Schuldenerlass sowie ernsthafte Anstrengungen, ihre Märkte für afrikanische Produkte zu öffnen. Kernpunkt der Initiative ist der Gedanke der gegenseitigen Überwachung durch den sogenannten »African Peer Review Mechanism« (APRM). Afrikanische Führer haben diesen Plan entworfen, um sich gegenseitig in Hinsicht auf den Umgang mit Menschenrechten, Korruption und Demokratie zu überprüfen. In seiner Rede zum Start des APRM bezeichnete Präsident Obasanjo das Prüf- und Beurteilungsverfahren als einen »fruchtbaren Lernprozess, der es zu guter Letzt Afrika gestatten wird, sein Schicksal selbst in die Hand zu nehmen«.[9] Länder, die bei der Prüfung gut abschneiden, werden mit einem überproportional hohen Anteil an Unterstützung, Handel und Schuldenerlass belohnt.

Gleichzeitig baut die EU in alle ihre Geschäftsabschlüsse mit Nicht-EU-Staaten Bestimmungen über die Menschenrechte, die Unverbrüchlichkeit von Verträgen und die europäische Wettbewerbspolitik ein. Um Länder, zu denen man Beziehungen aufgenommen hat, zu Reformen zu veranlassen, kommen ihnen die Europäer nicht mit militärischer Strategie, sondern mit innenpolitischen Forderungen. Der beste Weg, den Krieg gegen den Terror zu gewinnen, die Verbreitung von Massenvernichtungswaffen unter Kontrolle zu bringen und dem organisierten Verbrechen, namentlich dem Drogenhandel, den Garaus zu machen, ist nach europäischer Überzeugung die Ausbreitung der Herrschaft des Rechts. Die Europäer helfen mit, schwache oder autokratisch regierte Staaten in gut regierte Bundesgenossen zu verwandeln, weil sie dies für eine Maßnahme des Selbstschutzes gegen größte Bedrohungen ihrer eigenen Sicherheit erachten.

Das Recht als Antriebsaggregat des Umbruchs

Kernpunkt der europäischen Strategie ist eine revolutionäre Theorie über internationale Beziehungen. Nach Ansicht vieler außenpolitischer Experten sind Außenpolitik und Innenpolitik grundverschiedene Dinge. Innenpolitik, so sagen sie, ist hierarchisch aufgebaut. In der innenpolitischen Sphäre, so wird weiter argumentiert, mache ein zentralisierter Staat die Gesetze und erzwinge ihre Einhaltung, indem er über Gesetzesbrecher Sanktionen verhänge. Das stimme überein mit der klassisch gewordenen Definition des Staates von Max Weber: »Staat ist diejenige menschliche Gemeinschaft, welche innerhalb eines bestimmten Gebietes … das *Monopol legitimer physischer Gewaltsamkeit* für sich (mit Erfolg) beansprucht.«[10] Dagegen sei die Außenpolitik anarchisch, – hier spiele sich das Geschehen zwischen vielen miteinander rivalisierenden Staaten ab und keine über dem Ganzen stehende Weltregierung, kein Weltpolizist sorge für Ruhe und Ordnung.

Doch bei Michel Foucault können wir lernen, dass wir es hier mit einer falschen Vorstellung von Innenpolitik zu tun haben. Der wahre Grund, warum staatliche Ordnung nicht zusammenbricht und die Gesellschaft in Anarchie versinkt, ist: Die Bürger wollen es nicht. Ordnung ist nicht das Produkt einer Hierarchie, sondern des Wollens der Bevölkerungsmehrheit: Die Ordnung und die Aufrechterhaltung derselben Ordnung liegen in ihrem Interesse. Darum internalisieren die Menschen die geltenden Regeln und halten sich selbst unter Kontrolle. Der Schlüssel zur Ordnung liegt deshalb darin, dass man die Menschen – oder, je nachdem, die Staaten, dafür gewinnt, selbst für die Aufrechterhaltung der Ordnung zu sorgen, statt sie zu unterjochen. Und das gilt auch in der Weltpolitik. Ein Land wie Luxemburg zum Beispiel hält sich nicht aus Furcht vor Angriffen deutscher, amerikanischer oder UN-Panzer an Recht und Gesetz, sondern weil die Aufrechterhaltung der Rechtsordnung in seinem eigenen Interesse liegt. Unter den 192 Staaten auf der Welt gibt es nur ein Dutzend Unrechts- oder »Schurkenstaaten«; die 180 anderen achten Recht und Gesetz, und das nicht aus Furcht vor Strafe. Die Frage, vor die der Irak Saddam Husseins uns gestellt hat, lautet: Wie bringt man Gesetzlose so weit, dass auch sie ihre Interessen in dem System verkörpert sehen?

KAPITEL 4
Die systemverändernde Kraft des passiven Angriffs

Sehr unerfreulich, das Los des Tantalus. Der mythische König, ein Liebling der Götter, der vom Berg Sipylos in Kleinasien aus über ein mächtiges Reich herrschte, zog sich mit allerhand Freveltaten den Zorn der Olympier zu; das Maß war voll, als er seinen Sohn Pelops schlachtete und ihn den Göttern zum Mahl vorsetzte, um ihre Allwissenheit auf die Probe zu stellen. Zur Strafe verstießen sie ihn in die Unterwelt, wo er für immer permanenter Frustration ausgesetzt ist. Zwar steht er bis zum Hals im Wasser, doch sobald er sich bückt, um zu trinken, senkt sich der Wasserspiegel; dicht über seinem Kopf hängen die herrlichsten Früchte an den Bäumen, doch sobald er die Hand nach ihnen ausstreckt, drückt der Wind die Äste außer Reichweite. Schlimm genug, dass die Götter ihn in die Unterwelt verbannten, aber sie verstärkten seine Qual noch erheblich, indem sie ihn im Angesicht begehrenswertester Genüsse permanent darben lassen.

In gleicher Weise übt heute die Europäische Union Macht aus.

Das alte Reich des Tantalus am Sipylos ist die heutige Türkei, und den Nachfolgern des Tantalus, die heute in Ankara regieren, dürfte die Zwangslage des mythischen Herrschers sehr bekannt vorkommen.*

Bereits 1963 ersuchte die Türkei um Mitgliedschaft in der Europäischen Wirtschaftsgemeinschaft, und so schwebt diese Aus-

* Die Europäische Wirtschaftsgemeinschaft schloss 1963 im Vertrag von Ankara mit der Türkei ein so genanntes Assoziationsabkommen, das eine Beitrittsperspektive enthielt. Im April 1987 stellte die Türkei dann einen offiziellen Antrag auf Beitritt zur Europäischen Gemeinschaft.

sicht seit mehr als 40 Jahren vor den Augen der Türken, doch wurde ihnen die Mitgliedschaft bisher nicht gewährt, weil die türkischen Regierungen es an Eifer fehlen ließen, die notwendigen Voraussetzungen zu schaffen. Menschenrechtsverletzungen und Beschränkungen der Pressefreiheit, die Diskriminierung und Verfolgung von Minderheiten und die Rückständigkeit der türkischen Wirtschaft, das alles war für die europäischen Regierungen Grund genug, dem Land am Bosporus den Nektar der Mitgliedschaft vorzuenthalten. In der Türkei wurde unterdessen die Aussicht auf den Beitritt zum einheitsstiftenden kollektiven Traum: Säkularisten wie Islamisten vereint er mit Anatoliern, Kurden und Armeniern hinsichtlich eines Projekts, das allen eine bessere Zukunft verheißt.

In den letzten Jahren hat das türkische Parlament zwei umfangreiche Verfassungsänderungen und sieben sogenannte Harmonisierungspakete verabschiedet, um auf Europa-Kurs zu kommen. Wenn der türkische Ministerpräsident Recep Tayyip Erdogan in Brüssel mit seinen europäischen Kollegen spricht, kann er mit Genugtuung darauf hinweisen, dass in seinem Land die Todesstrafe abgeschafft, den bislang mächtigen Militärgerichten in Friedenszeiten die Zuständigkeit für Verfahren gegen Zivilpersonen entzogen und Einschränkungen der Redefreiheit aufgehoben wurden. Er kann davon sprechen, dass zum ersten Mal in der Geschichte der Republik das Militärbudget unter parlamentarische Kontrolle gebracht wurde und dass seine Regierung eine Politik der »Null-Toleranz« gegenüber Folter verfolge. Er hat die Haftentlassung kurdischer Aktivisten veranlasst und dem türkischen Staatsfernsehen TRT grünes Licht für Sendungen in Kurdisch und anderen Minderheitensprachen (wie Bosnisch und Arabisch) gegeben. Er hat sich von der 30 Jahre lang aufrechterhaltenen türkischen Unnachgiebigkeit in der Zypernfrage verabschiedet und mit diplomatischem Geschick den Abbau des jahrhundertealten gegenseitigen Misstrauens zwischen Griechenland und der Türkei betrieben – mit so durchschlagendem Erfolg, dass der einstige Erzfeind der Türkei heute zu den wärmsten Befürwortern einer türkischen EU-Vollmitgliedschaft zählt.[1] Für diesen revolutionären Wandel der Gesinnung und der Verhältnisse gibt es nur einen Grund, und das ist der Wunsch der Türkei nach der Vollmitgliedschaft in der Europäischen Union.

Der passive Angriff

Was Europa in der Türkei ausgerichtet hat, veranschaulicht eindrucksvoll die Macht des »passiven Angriffs«. Statt sich auf die Drohung zu verlassen, zur Wahrung ihrer Interessen Macht auszuüben, droht die EU bisher damit, die freundschaftlich ausgestreckte Hand ebenso zurückzuziehen wie die Perspektive auf Beitritt zurückzunehmen.[2] Für Länder wie die Türkei, Serbien oder Bosnien kann es kaum etwas Schlimmeres geben, als zu erleben, wie die Brüsseler Bürokratie über das eigene politische System herfällt, hartnäckig auf Änderungen besteht, Regulierungen umgesetzt sehen will, auf Privatisierung von Staatsbetrieben dringt und überhaupt sich in jeder Ritze des politischen Alltags festsetzt; nur *eines* würde man als noch schlimmer empfinden – wenn einem Brüssel die Tür vor der Nase zuschlüge.

Der Unterschied in der Art und Weise, wie Europa und die Vereinigten Staaten jeweils mit ihren Nachbarn umgehen, spricht Bände. Die Bedrohungen sind in beiden Fällen die gleichen – Drogenhandel, starker Migrantenzustrom über durchlässige Grenzen, grenzüberschreitende Netzwerke des organisierten Verbrechens –, die Reaktionen darauf könnten jedoch nicht unterschiedlicher sein. Die USA haben innerhalb der vergangenen letzten fünfzig Jahre über fünfzehn Mal in Nachbarstaaten militärisch eingegriffen[3], indes hat sich in vielen der betroffenen Länder fast nichts geändert: Nach wie vor schleppen sie sich von Krise zu Krise, und vielfach haben sie die amerikanischen Truppen in ihre Probleme mit hineingezogen. Bei aller Unterschiedlichkeit im Einzelnen lassen sich die folgenden zwei Beispiele in den Grundzügen durchaus miteinander vergleichen, und da zeigt sich ein krasser Gegensatz zwischen dem Misserfolg der Amerikaner in Kolumbien und dem Erfolg der EU bei den Türken und auf dem Balkan.

Die USA haben sich in Kolumbien stark engagiert. So zum Beispiel mit einer »Soforthilfe« von 1,3 Milliarden Dollar, die zu drei Vierteln aus Militärhilfe und Unterstützung bei polizeilichen Aufgaben besteht. Ein aus Fonds der US-Regierung finanziertes Ausbildungsprogramm für die kolumbianischen Streitkräfte stellte 18 Black-Hawk- und 42 Huey-Helikopter zur Verfügung[4] und lieferte der kolumbianischen Regierung zudem die technische Ausrüstung zur Lokalisierung von Coca-Plantagen und Überwachung von Rebellengebieten. Dieses Engagement der USA ist erklärtermaßen Teil ihres Antidrogenkriegs, und ein hoher Prozentsatz der nichtmilitärischen Hilfe fließt in Programme zur Coca-Substitution und Förderung alternativen Anbaus, die den kolumbianischen Bauern den Anreiz nehmen sollen, die Nachfrage nach Kokain in Nordamerika und Europa zu bedienen. Dieses Geld ist Teil eines breiter angelegten, von den USA mit 7,5 Milliarden Dollar geförderten »Plan Colombia«[5], der nach den Erwartungen der US-Regierung Kolumbien aus der unseligen Sackgasse manövrieren soll, in die es durch Bürgerkrieg und Abhängigkeit vom Drogenanbau geraten ist. Doch der Frieden hat sich in dem Land bis heute nicht einstellen wollen.

Von dem Engagement der USA bei dem »Plan Colombia« fällt ein Schlaglicht auf einige der Gründe, warum die amerikanische Außenpolitik keine Änderung des Status quo zustande bringt: Die Vereinigten Staaten verfolgen generell kurzfristige Ziele, die eindeutig in ihrem eigenen Interesse liegen – (Schwächung des Drogenhandels, Stabilisierung einer amerikafreundlichen Regierung), und sie tun dies mit dem Einsatz beachtlicher militärischer Mittel, die sie entweder einer lokalen Stellvertretermacht zur Verfügung stellen oder selber zu einer Intervention gebrauchen.

Die europäische Vorgehensweise hingegen sieht so aus, dass benachbarten Ländern eine Perspektive (sei es auf den Beitritt zur EU, sei es auf die Aufnahme in die NATO) eröffnet wird, die aufseiten des Kandidaten die Angleichung an die politischen Normen und die institutionelle Praxis der EU bedingt. Mit der Aussicht auf die Prämie machen die Europäer den Nachbarstaaten praktisch ein Angebot, das diese nicht ablehnen können. Gehen die Nachbarn dann auf das Angebot ein, werden sie für die EU zu einer Bereicherung. Wie das zusammenhängt, illustriert sehr schön die Fabel ›Der Landmann und seine Kinder‹[6] des französischen Dichters Jean de La Fontaine;

Ein Bauer hatte drei arbeitsscheue Söhne. Während er und seine Frau tagtäglich vom frühen Morgen bis in die Nacht arbeiteten und ihren Weinberg bestellten, rührten die Söhne keinen Finger. Als der Alte auf dem Sterbebett lag, ließ er seine Söhne rufen und sagte ihnen, dass er im Weinberg einen Schatz vergraben habe. Auf der Suche nach dem Goldschatz gruben die Söhne jede Handbreit Boden im Weinberg um – und fanden nichts. Mit ihrer Anstrengung hatten die drei Faulpelze jedoch den Boden so gut kultiviert, dass die Reben im nächsten Herbst so reichen Ertrag brachten wie noch nie zuvor, und die drei begriffen, dass ihrer Hände Arbeit ihr Reichtum war.

Die Fabel erhellt viel von dem Mechanismus, über den die Europäische Union ihre positive Wirkung entfaltet. Der »Goldschatz« der Mitgliedschaft vermag die beitrittswilligen Staaten zu den schmerzhaften Reformen zu motivieren, ohne die Prosperität und Freiheit nicht möglich sind. Haben sie jedoch Prosperität und Freiheit gewonnen, werden sie für die EU eine Bereicherung und keine Bürde.

Die Eurosphäre

Passiver Angriff ist zum Grundmuster des europäischen Engagements außerhalb der EU-Grenzen geworden. Man hat Russland zur Unterzeichnung des Kyoto-Protokolls veranlasst, indem man dessen Ratifizierung zur Bedingung dafür machte, das russische Begehren nach Aufnahme in die Welthandelsorganisation zu unterstützen. Die Vereinigten Staaten sahen sich durch die französisch-deutsche Weigerung, am Irakkrieg teilzunehmen, veranlasst, die UN zur Mithilfe beim Wiederaufbau des Irak einzuladen. Im vorigen Kapitel sahen wir, dass die EU mit den 80000 Seiten des »Acquis communautaire«, die sich seit der Gründung der Europäischen Wirtschaftsgemeinschaft im Jahr 1957 angesammelt haben, einen umfassenden Gesetzeskanon an der Hand hat, mit dem sie ihre Rechtsprinzipien und Werte in der ganzen Welt, von Australien bis Sambia, verbreiten kann. Und das tut sie, indem sie Konformität mit ihren Gesetzen und Satzungen zur Bedingung für den Zugang zu ihrem Markt macht. Mit ihrer Marktmacht konnten die Europäer von einer Großmacht wie den USA die Aufhebung ungerechter Einfuhrzölle auf Stahl und andere Produkte erzwingen. Überdies gibt ihr Marktpotenzial der EU die Möglichkeit, bei Normen und Richtlinien einen globalen Standard zu definieren.

Weltweit sind es Tausende von Firmen, die sich nicht mit den heimischen Normen begnügen, sondern sich um des Zugangs zum europäischen Markt willen lieber an die strengeren EU-Richtlinien halten. Selbst mächtige amerikanische Multis sehen sich zumindest auf drei Sektoren zur Einhaltung der EU-Auflagen gezwungen, nämlich in den Bereichen Fusionen und Übernahmen – im internationalen Fachjargon kurz: M & A (für *mergers & acquisitions*), genmanipulierte Lebensmittel und Datenschutz. Der drohende Ausschluss vom europäischen Markt genügte schon, um die geplante Fusion von General Electrics und Honeywell (mit einem Gesamtwert von 42 Milliarden Dollar die größte je projektierte Elefantenhochzeit der Industriegeschichte) zu verhindern. Und das ist nur ein Beispiel aus einer langen Liste gleichartiger Fälle, die auch die gescheiterten Fusionen von Time Warner mit EMI, Worldcom mit Sprint und Worldcom mit MCI enthält. Von dem brennenden Wunsch nach Zugang zum europäischen Markt getrieben, haben viele US-Unternehmen sich Richtlinien unterworfen, die sie zuvor im eigenen Land bekämpft hatten. Bedrängt von der Lobby der amerikanischen Rinderzüchter, die ihr Fleisch nicht in die Europäische Union verkaufen konnten, übernahm die US-Regierung die innerhalb der EU geltenden Kennzeichnungsvorschriften für genmanipulierte Lebensmittel. Ein ähnliches Beispiel ist auf dem Feld des Datenschutzes das »Safe Harbor«-Protokoll vom Juli 2000, in dem sich US-Unternehmen verpflichten, bestimmte, wesentlich strengere europäische Datenschutzanforderungen einzuhalten.

Doch die nächste Welle der von Europa ausgehenden Umgestaltung läuft eben erst an. Die Europäische Union ist dabei, sich eine weit über ihre Grenzen hinausreichende Einflusssphäre zu schaffen, die man als »Eurosphäre« bezeichnen könnte. Dieser 80 Länder umfassende Gürtel, der von der ehemaligen Sowjetunion über die Staaten des westlichen Balkans, den Mittleren Osten und Nordafrika bis nach Schwarzafrika reicht (siehe Anhang), ist der Lebensraum von fast 20 Prozent der Weltbevölkerung.[7]

Für diese Länder ist die EU nicht nur der wichtigste Handelspartner, sondern auch die wichtigste Quelle von Krediten, Investitionen und Entwicklungshilfe. In vielen von ihnen hat der Euro Leitwährungsfunktion für die Wechselkurspolitik oder ist neben der heimischen Währung als Zahlungsmittel in Gebrauch.

Die Europäer nutzen die Beziehungen zu diesen Ländern, um durch Abkommen mit ihnen einen großen gemeinsamen Raum rechtsstaatlicher und politischer Strukturen nach europäischer Fasson zu schaffen.[8] Diese Abkommen stärken die Integration der einzelnen Länder in den Handel, sie gehen mit der Eröffnung von Kontokorrent- und Kapitalkonten einher und ermöglichen so ein unkompliziertes direktes Investieren. Daneben schreiben sie aber auch ein politisches Leistungssoll in Bezug auf Menschenrechte, gute Regierungsführung und Kooperation bei der Verbrechensbekämpfung und der Zuwanderungsproblematik fest. Was noch wichtiger ist: Von Katastrophenhilfe abgesehen, ist jegliche Gewährung von Hilfe an Bedingungen geknüpft, die Menschenrechte, Migrationspolitik, Sicherheit und ökonomische Reformen betreffen.

Das alles steckt noch in den Anfängen. Bislang ist das Potenzial des »passiven Angriffs« größer als seine praktische Auswirkung. Am besten funktioniert diese Strategie bei befreundeten Staaten (den USA oder mittel- und osteuropäischen Ländern), weniger erfolgreich war und ist sie, wenn es um die Veränderung von Regimen geht, zu denen keine freundschaftliche Beziehung besteht. Die Europäische Union ist gegenwärtig bemüht, sich Instrumente des »passiven Angriffs« zu schaffen, die auch bei solchen Staaten Wirkung zeigen, die nicht auf der Liste der Beitrittskandidaten stehen. Mehr darüber in Kapitel 8.

Der exklusivste Klub der Welt

Von Groucho Marx stammt der bekannte Ausspruch: »Ich würde nie einem Klub beitreten, der jemanden wie mich als Mitglied aufnähme«, und mit ein Grund für die dauerhafte Anziehungskraft der Europäischen Union liegt darin, dass sie der exklusivste Klub überhaupt ist.[9] Ihre Normen und Richtlinien setzen einen nirgends sonst erreichten Maßstab. In keiner anderen Freihandelszone wurden die Handelsrestriktionen auch nur annähernd so radikal beseitigt. Nirgendwo haben sowohl die Umweltschutzbestimmungen als auch die Arbeits- und Sozialgesetzgebung einen höheren Standard. Für das Wirtschaftsleben in den Teilnehmerstaaten der Europäischen Währungsunion, der »Eurozone«, gelten so strenge Regeln, wie selbst das Federal Reserve System der USA und die japanische Zentralbank sie nicht kennen. Und schließlich lassen die hier geltenden Standards der demokratischen Spielregeln, der Menschenrechte und des Minderheitenschutzes alles hinter sich, was andere Staatenverbände zur Vorbedingung eines Beitritts machen. Dieses Regelwerk ist so stringent und wohl durchdacht, dass große Teile davon auch außerhalb der EU Anklang fanden und jetzt internationale Standards definieren. Bietet eine Supermacht anderen Staaten Vergünstigungen an für den Fall, dass sie ihr Verhalten ändern, so wird sie des Imperialismus bezichtigt. Fordert ein Klub andere auf, sich an dieselben Regeln zu halten wie seine Mitglieder, so wird das als Prinzipientreue anerkannt: Genau das macht die Europäische Union so unwiderstehlich.

Europa hat die Macht zur Systemveränderung, weil es Reformer belohnen und Säumigen Vergünstigungen vorenthalten kann. Der passive Angriff ist jedoch wirkungslos in der Auseinandersetzung mit Ländern, die gar nicht den Wunsch haben, dem Klub der auf Recht und Gesetz bauenden Staaten beizutreten. Hier könnte Gewaltanwendung unter Umständen nicht zu umgehen sein.

KAPITEL 5

Die europäische Art der Kriegführung[1]

Der Traum von der europäischen Integration wäre in der ostbosnischen Stadt Srebrenica beinahe endgültig zu Grabe getragen worden.

Im Juli 1995 wurde die zwei Jahre zuvor von der UN zur demilitarisierten Schutzzone erklärte bosniakisch-muslimische Enklave in serbisch besiedeltem Gebiet Schauplatz eines Massakers. Vor den Augen ohnmächtig zuschauender »Blauhelme« überrannten Streitkräfte der Serbischen Republik Bosnien die Stadt mit ungeheurer Brutalität, trieben systematisch muslimische Bewohner zusammen und ermordeten über 7000 männliche Erwachsene und Jugendliche, deren Leichen sie auf Äckern, in Schulgebäuden und Lagerhäusern stapelten.[2]

Der Völkermord war nach Europa zurückgekehrt. Die Führer der verschiedenen politischen Interessengruppen im zerfallenen Jugoslawien griffen zu all den Taktiken, die der auf dem Weg der Integration befindliche Teil Europas geächtet hatte: Einsatz militärischer Gewalt zum politischen Terraingewinn, ethnischer Nationalismus als Kern des Identitätsbewusstseins und »ethnische Säuberungen« als Weg zur Selbstbestimmung. Doch als die Führungsspitzen der EU-Staaten nach einer angemessenen Reaktion suchten, stellten sie fest, dass sie nichts Passendes auf Lager hatten.

Alles, was sie ausprobierten, wurde schlicht und einfach gegen sie gewendet. Das eiserne Festhalten der Europäer an regelkonformem Verhalten nutzten die Serben zynisch aus, indem sie es bei der Einnahme der Stadt sorgfältig vermieden, auf UN-Soldaten zu schießen. Weil den »Blauhelmen« nach den UN-Regeln für ihren Einsatz der Waffengebrauch nur zur Selbstverteidigung erlaubt war, durften sie die serbischen Streitkräfte nicht beschießen und nicht mit Luftschlägen abwehren. Ähnlich instrumentalisierten die Serben die Vorstöße der EU, zu einer Friedensregelung zu kommen. Jedes in diesem Zusammenhang getroffene Abkommen war für sie nicht ein Schritt in Richtung Frieden, sondern eine Maßnahme, mit der sie sich Manövrierraum verschafften, um ein weiteres Kriegsziel zu erreichen. So legten sie vor den Augen der Welt die Nichtigkeit eines jeden Verhandlungsergebnisses bloß, das zur Durchsetzung auf Waffengewalt verzichtete. Damit versetzten sie den EU-Staaten und ihrem Programm der Konfliktlösung durch Einbindung der Kontrahenten in einen alles offen lassenden Verhandlungsmarathon einen schweren Schlag. Und noch nachdem mit amerikanischer Waffengewalt der Frieden erzwungen worden war, drehten die vormaligen Streitparteien dem UN-Kriegsverbrechertribunal in Den Haag eine lange Nase, indem sie es gesuchten Kriegsverbrechern ermöglichten, ausgerechnet in der Republik Bosnien und Herzegowina, dem einzigen Land der Welt, das *de facto* von der UN kontrolliert wurde, völlig frei und unbehelligt zu leben.

Die Schmach von Srebrenica hängt uns noch heute an. Aber diese Schmach hat auch bewirkt, dass die Führungsspitzen der EU-Staaten inzwischen eine »europäische Art der Kriegführung« entwickelten. Nach nicht einmal fünf Jahren seit dem fatalen Versagen in der Bosnienkrise war eine neue Generation führender europäischer Staatsmänner – Tony Blair, Jacques Chirac und höchst erstaunlicherweise (denn in Deutschland ging dies nicht ohne eine Verfassungsänderung) auch Gerhard Schröder und Joschka Fischer – zur militärischen Intervention im Kosovo bereit. Bereit nicht nur, wie die Amerikaner, zu Luftschlägen, sondern ein Teil auch zum Einsatz von Bodentruppen, um, anders als die Amerikaner, die Drohungen der NATO glaubhaft militärisch zu unterfüttern, und dies zudem ohne ausdrückliches Mandat der Vereinten Nationen. Drei Jahre später einigten sich die EU-Regierungen auf ein Eingreifen in Mazedonien, *bevor* das Land im Chaos versank.

Die strategische Doktrin der Europäer unterscheidet sich freilich stark von derjenigen der USA. Mit der Anwendung militärischer Gewalt will man Frieden schaffen, nicht die eigene Macht zur Geltung bringen. Militäreinsatz mag zur Verteidigung europäischer Werte unumgänglich sein, indes wird er nie zum Herzstück europäischer Außenpolitik werden. Man setzt seine Truppen nicht in Marsch, um andere Länder unter seine Kontrolle zu bringen, sondern um die Umstände, die überhaupt erst zum Krieg geführt haben, aus der Welt zu schaffen. Militärische Operationen der Europäer zielen in erster Linie auf strukturelle Veränderungen einer vom Krieg zerrütteten Gesellschaft ab. Ihr eigentliches Ziel ist die Ausbreitung des Friedens.

Vom Pazifismus zur Friedensmission

Die grundsätzlichen Vorbehalte der Europäer gegen Militäreinsätze haben nichts gemein mit der viel diskutierten *casualty aversion* der Amerikaner, ihrem (auch unter der Bezeichnung *casualty awareness syndrome* bekannten) Unwillen, Verluste auf der eigenen Seite zu akzeptieren. Tatsache ist, dass europäische Truppenkontingente – wenn auch nur kleinere Aufgebote – von Beginn der Krise in Jugoslawien an in risikoreicher Mission auf dem Balkan im Einsatz waren. Man begab sich in Gefahr, um sicherzustellen, dass die von der UN den Bewohnern ihrer Schutzzonen zugedachte humanitäre Hilfe die Empfänger erreichte. Soldaten aus den verschiedensten europäischen Ländern ließen bei der Wahrnehmung des UN-Mandats ihr Leben. Es war kein »robustes« Mandat: Von ihren Waffen durften die »Blauhelme« nur zur Selbstverteidigung Gebrauch machen. Was ihre Initiative hemmte, waren nicht einfach der Gedanke an die Möglichkeit, den Heimweg eventuell im Leichensack zurücklegen zu müssen, oder die Furcht vor einem Schlamassel à la Vietnam, sondern eine fast schon zur Ideologie verfestigte Konfliktscheu.

Ihr war dann letztlich auch das umstrittene Waffenembargo

geschuldet, das NATO und UN gegen sämtliche Krieg führenden Parteien in Jugoslawien verhängten. Damit beraubte man die bosnisch-herzegowinische Regierung des dringend benötigten Waffennachschubs und machte die von Belgrad unterstützten bosnischen Serben zu den Herren der Lage auf dem Kriegsschauplatz. Dahinter stand die Furcht, die Kämpfe würden endlos weitergehen, wenn man – wie der britische Außenminister Douglas Hurd es in einer blamablen nachgetragenen Erklärung formulierte – »gleiche Bedingungen für alle auf dem *killing field*« zuließe.[3] Auch der Widerstand der Europäer gegen die Luftangriffe der Amerikaner wurzelte in dieser Konfliktscheu. Nicht Besorgtheit ob der dabei unvermeidlichen Gefährdung der eigenen Bodentruppen war das Motiv. Nein, man wollte einfach jedwede kriegerische Auseinandersetzung vermeiden. Und dahinter steckte nicht Feigheit, sondern Pazifismus.

Europa ist das Zentrum einer neuen Denkrichtung in Sachen internationale Beziehungen, die der namhafte Militärhistoriker Michael Howard unter den Begriff der »Erfindung des Friedens« brachte. Howard zitiert Henry Maine, einen Rechtswissenschaftler des 19. Jahrhunderts, mit den Worten: »Der Krieg ist anscheinend so alt wie die Menschheit, der Frieden hingegen eine Erfindung der Neuzeit.«[4] Die Idee des Friedens ist absolut nicht identisch mit dem, was man als den »negativen Frieden« bezeichnen könnte: das bloße Nichtsein von Krieg; nicht identisch auch mit der Definition von Frieden nach Thomas Hobbes, die ihn als einen Zeitabschnitt versteht, in dem zwar gerade keine kriegerischen Auseinandersetzungen stattfinden und auch nicht vorbereitet werden, der jedoch unweigerlich von solchen abgelöst werden wird. Die Idee einer fruchtbaren, konstruktiven internationalen Friedensordnung hat ihre klassische Formulierung in Kants berühmter Schrift ›Zum ewigen Frieden‹ gefunden. Als deren Grundlage dachte sich Kant einen Bruderbund von republikanisch verfassten Staaten, für die, da sich in ihrer Organisation das Wünschen und Wollen der Völker niedergeschlagen hat, sich die Frage eines Krieges gegeneinander überhaupt niemals stellt. Auf dieses System internationaler Beziehungen arbeitet die europäische Politik seit 1945 mehr oder weniger bewusst hin, und zum Teil resultierte der europäische Pazifismus angesichts von Miloševics kriegslustiger Aggressivität aus dem Nichtwahrhabenwollen der Tatsache, dass dieses utopische Ziel nicht erreicht worden war.

In dem Geschehen auf dem Balkan kam demnach eine neuartige Unausgewogenheit zum Tragen; die Schieflage bestand nicht im Verhältnis gegeneinander kämpfender Menschen und ihrer Materialien, sondern der hier aufeinanderstoßenden Werte. Die Serben stachen den Gegner nicht auf dem Schlachtfeld aus, sondern sie nutzten dessen Festhalten am Wert des Kompromisseschließens zu ihrem Vorteil. Die EU-Staaten hatten Carl von Clausewitz' berühmte Begründung der Unvermeidbarkeit des Krieges nicht beachtet. Wenn eine von zwei streitenden Parteien zur Anwendung äußerster Gewalt entschlossen ist, muss die andere darauf in gleicher Weise antworten oder kapitulieren.[5] Die EU-Staaten hatten sich in dem Glauben gewiegt, sie könnten sich mit dem Aushandeln von Abkommen auf dem Balkan ohne Gewaltanwendung über die Runden bringen. Die serbischen und kroatischen Nationalisten in Bosnien hielten jedoch nichts von der im übrigen Europa tonangebenden Politik des Verhandelns und Kompromisseschließens und setzten lieber auf eine denkbar rücksichtslose ethnozentristische Interessenpolitik.

Nach den Schrecken des Bürgerkrieges in Bosnien war eine neue Generation europäischer Staatsmänner entschlossen, das Recht mit Waffengewalt zu stärken. Dieser Stimmungsumschwung ebnete den Weg für drei neue Denkmodelle über die Anwendung von Gewalt, welche die in der ersten Hälfte des 1990er-Jahrzehnts auf so grausame Weise aufgedeckten Mängel im Verständnis der EU vom Machtgebrauch beheben sollen. Es sind dies: die humanitäre Intervention, eine spezifisch europäische Präventionsdoktrin und das *state-building*, der »Aufbau von Staaten«.

Vom Pazifismus zur humanitären Intervention

Auf dem Höhepunkt der Kosovokrise, im April 1999, einen Monat nach Beginn des NATO-Luftkrieges gegen Serbien, reiste der britische Premier Tony Blair in die USA, um Präsident Bill Clinton zu bewegen, notfalls seine Zustimmung zum Einsatz von Bodentruppen zu geben. In einer Rede vor dem Chicago Economic Club legte er bei dieser Gelegenheit erstmals seine inzwischen berühmt gewordene »Blair-Doktrin« der »humanitären Intervention« dar (der zufolge die Völkergemeinschaft unter bestimmten Bedingungen zur Einmischung in die Angelegenheiten eines Staates berechtigt sei; Anm. des Übers.) Die humanitäre Intervention war die Reaktion auf die – durch Ereignisse wie den Fall von Srebrenica offengelegte – Problematik des humanitären Pazifismus.[6]

Mit dem Eingreifen in den Kosovokonflikt holten die Europäer die militärische Intervention zurück in die Skala ihrer Möglichkeiten des Auslandsengagements, die von diplomatischem Beistand über technische, humanitäre und finanzielle Hilfe sowie strukturpolitische Hilfe zur Verwirklichung all dessen, was heute unter dem Begriff der *good governance* zusammengefasst wird, bis hin zu Sanktionen reicht. Es ist ein beeindruckender Schwenk, den die Europäer vollzogen: Im Lauf des vergangenen Jahrzehnts hat sich die zahlenmäßige Stärke ihrer Truppen im Auslandseinsatz verdoppelt.

Die Zahl europäischer Soldaten außerhalb des EU- und des NATO-Gebiets belief sich im Jahresdurchschnitt 2003 auf 70 000 (mit einem Maximum von 90 000 während der britischen Operation im Irak). Die Einsatzgebiete lagen in Südosteuropa, Afghanistan und Zentralasien, im Irak, in der Golfregion und in Afrika – in über 20 Staaten, alles in allem genommen.[7] Ebenfalls im Jahr 2003 führte eine europäische Truppe mit der »Operation Artemis« erstmals eine *autonome*, das heißt nicht NATO-geführte Operation außerhalb Europas aus: Auf die Bitte des UN-Generalsekretärs Kofi Annan für Friedenseinsätze hin entsandte

Frankreich binnen sieben Tagen eine 1400 Mann starke Truppe in die Stadt Bunia im nordöstlichen Teil der Demokratischen Republik Kongo, um die dortige Lage zu stabilisieren, bis die in der Region stationierte kleine reguläre UN-Friedenstruppe verstärkt worden war.[8] An Einsatzorten in aller Welt werden europäische Truppen nicht zu dem Zweck stationiert, Pipelines zu bewachen, Geschäftsinteressen abzusichern oder in Machtkämpfe einzugreifen; vielmehr operieren sie fast immer mit UN-Mandat in humanitärer Mission.

Die im Dezember 2003 verabschiedete Europäische Sicherheitsstrategie (ESS) lässt erkennen, dass die EU-Staaten sich bereits auf die neuen Herausforderungen vorbereiten, die die Erweiterung der Union mit sich bringt, da sie näher an den »Bogen der Instabilität« heranrückt, der sich von Agadir am Atlantik bis nach Astrachan am Kaspischen Meer vor ihrer Süd- und Ostflanke erstreckt. Sind erst einmal Rumänien, Bulgarien, die westlichen Balkanstaaten und die Türkei EU-Mitglieder, wird die Union ein Rezept für den Umgang mit den neuen Nachbarn – Iran, Irak, Georgien, Moldawien, Weißrussland und anderen – parat haben müssen.

Präventives Engagement

Nach dem Debakel auf dem Balkan einigten sich die europäischen Staats- und Regierungschefs auf einen neuen strategischen Imperativ: Frühzeitig handeln! Das Ziel ist, die eigenen Machtmittel einzusetzen, solange noch Aussicht besteht, dass sie greifen, und der Gedanke an einen politischen Kompromiss noch nicht völlig indiskutabel geworden ist. Und für das Vorhandensein einer glaubhaft bedrohlichen Militärmacht zu sorgen, um solch einen Kompromiss dann haltbar zu machen. Das alles ist in der Europäischen Sicherheitsstrategie (ESS) in der Formel vom »präventiven Engagement« zusammengefasst, der europäischen Antwort auf die Bush-Doktrin vom »Präventivkrieg«.

Die zwei Doktrinen stehen in krassem Gegensatz zueinander. Der Bush-Doktrin geht es um die Rechtfertigung von Maßnahmen zur Beseitigung einer »Bedrohung«, bevor diese sich zu einem Angriff gegen die USA auswachsen kann. Folgerichtig konzentriert sie sich auf technische Mittel und Fähigkeiten, die der Forderung genügen, kurzfristig abrufbar und schnell wirksam zu sein, was zwingend auf rein militärische Maßnahmen zuläuft. Ganz anders die europäische Präventionsdoktrin: Sie setzt auf langfristiges Engagement, wobei Militäraktionen nur eine Komponente des Handlungsprogramms sind (neben präventiver ökonomischer und juristischer Intervention); ihr Ziel ist nicht einfach nur die Beseitigung einer akuten Gefahr, sondern die Schaffung der politischen und institutionellen Grundlagen von Stabilität.

Präventives Engagement ist ein Versuch, die Gefahren eines europäischen Autismus abzuwenden. In der Vergangenheit waren die Europäer so sehr damit beschäftigt, ihre Einheitswährung auf die Beine zu stellen und ihre Institutionen umzubauen, dass sie den Einzug von Chaos in ihrer Nachbarschaft zuließen. Inzwischen ist den EU-Staatslenkern klar geworden, dass die Europäische Union nicht florieren kann, wenn die Nachbarschaft eine Brutstätte von Kricg und gewaltsamen ethnischen Auseinandersetzungen ist. Heute ist rasches Einschreiten die Parole, wie es mit der »Operation Concordia« in Mazedonien 2003 geschah: mit Militäreinsatz, Verhandlungsführung und dem Aufbau von Institutionen, um die einander bekriegenden Parteien zu trennen, paramilitärische Verbände zu entwaffnen und einen ethnischen Bürgerkrieg zu verhindern. Präventiv tätig zu werden, noch ehe die Bedrohung sich verfestigen kann, ist nicht bloß die wirksamere, sondern auch die weitaus weniger kostspielige Lösung. Was den Verlust an Menschenleben anbelangt, so ist der Unterschied zwischen erstens der schleppenden und desaströsen Reaktion auf die Bosnienkrise, zweitens dem rascheren und entschlosseneren Eingreifen im Kosovo und drittens der Intervention in Mazedonien, bevor die Lage dort chaotisch werden konnte, dramatisch. Nicht minder eklatant sind die Unterschiede bei den finanziellen Aufwendungen: Das Debakel in Bosnien kostete den britischen Steuerzahler mindestens 1,5 Milliarden Pfund, das sind 2,25 Milliarden Euro, das Eingreifen im Kosovo kostete 200 Millionen Pfund (300 Millionen Euro), die Operation in Mazedonien nur 14 Millionen Pfund (21 Millionen Euro).[9]

Engagementstrategien, nicht Exitstrategien

Wenn die Europäer den Einsatz von Militärgewalt erwägen, so in den seltensten Fällen, ohne sich genau zu überlegen, wie sie hinterher die Scherben wieder kitten. Sprechen in den USA die meisten Politgurus jetzt vom *nation-building*, vom »Aufbau von Nationen«, so schwebt den Europäern etwas anderes vor, was man als *state-building*, »Aufbau von Staaten« oder »Staatsbildung«, bezeichnen könnte. Die Erfahrungen mit Bosnien, Irak, Afghanistan und zahlreichen afrikanischen Ländern haben gezeigt, dass nicht der Aufbau von »Nationen«, sondern von »Staaten« das Gebot der Stunde ist – oftmals gerade in Regionen, wo mehrere Völker und Nationalitäten in einem Staat zusammenleben müssen. In den Balkanländern tut es dringend not, Strukturen zu schaffen, die den ethnischen Nationalismus eindämmen, ihm das Wasser abgraben, statt ihn zu schüren.[10]

Ziel der Europäer bei invasiven Aktionen im Ausland ist es nicht, schnellstmöglich einzumarschieren und sich dann ebenso schnell wieder zurückzuziehen. Vielmehr wollen sie in dem jeweiligen Land eine Umgestaltung herbeiführen, und wenn es sich um ein europäisches Land handelt, wollen sie es auf eine Bahn bringen, die nach Möglichkeit in den Beitritt zur Europäischen Union mündet. Das faktische UN-Protektorat über Bosnien und Herzegowina währt bereits länger als die uneingeschränkte Herrschaft der Besatzungsmächte über Deutschland nach 1945. Das Land ist von der Eigenständigkeit noch weit entfernt. Beim Aufbau staatlicher Strukturen in Bosnien und Herzegowina plante man in den Kernbereichen bewusst einen zukünftig möglichen EU-Beitritt ein: beim Aufbau der Institutionen, der Einrichtung eines Rechtsstaats und den ökonomischen Reformen, und auch beim Aufruf der Flüchtlinge zur Rückkehr spielt dieses Ziel eine Rolle.

Nach dem Ende der Kämpfe lancierte die EU umgehend den Stabilisierungs- und Assoziationsprozess für die Staaten des Westbalkans (mit unilateralen Handelskonzessionen), der unter anderem deren schrittweise Integration in den europäischen Binnenmarkt einleitete. Auch dieses »Stabilitäts- und Assoziationsabkommen« gestaltet die Rechtspraxis und die politischen Strukturen auf dem Balkan im Sinne des »Acquis communautaire«. Zusätzlicher Schwung kam in die Sache, als 2002 der Hohe Beauftragte der UN in Bosnien, Paddy Ashdown, dort auch das Amt des EU-Botschafters übernahm und bald einen Weg in Richtung EU-Mitgliedschaft ebnete.

Der von der EU neuerdings praktizierte Aufbau staatlicher Strukturen ergänzt das außenpolitische Instrumentarium der Union, indem er zum Einsatz harter militärischer und politischer Macht die Aussicht auf EU-Mitgliedschaft als Anreiz hinzufügt. Die »Staatsbildung« ist Schwerarbeit, wie sich an der prekären Lage im Kosovo zeigt. Aber beim Einsatz der Bodentruppen, die in Bosnien wieder Sicherheit schaffen sollten, machte die EU die Erfahrung, dass ihr eigentliches Ziel, nämlich die dauerhafte Verhinderung gewaltsamer Auseinandersetzungen, näher gerückt ist, seit dem Land der Status eines potenziellen Kandidaten für einen Beitritt zur EU zuerkannt wurde.

Aus dem Schatten der amerikanischen Militärdoktrin tretend

Leitmotiv aller in den Vereinigten Staaten stattfindenden Erörterungen der Europäischen Sicherheitsstrategie ist die Verzweiflung angesichts der fehlenden Schlagkraft sowie der mangelnden

Bereitschaft europäischer Regierungen, in ähnlichem Maß wie die USA Geld in den Verteidigungshaushalt zu pumpen. Aber das Problem ist eigentlich nicht das Geld: Die 25 EU-Staaten geben zusammen jährlich annähernd 180 Milliarden Euro für die Verteidigung aus, eine Summe, die nur noch von den 330 Milliarden Euro des amerikanischen Verteidigungshaushalts übertroffen wird. Wie dazu allerdings schon von vielen Seiten angemerkt wurde, bekommen die Europäer für ihr Geld nur einen Bruchteil von dem, was die Amerikaner für die gleiche Summe erhalten. Die USA sind in der Lage, von ihren insgesamt 650 000 Mann starken Bodentruppen 400 000 Mann an Einsatzorte rund um den Globus zu schicken; die EU, die über insgesamt 1,2 Millionen Infanteristen verfügt, kann knapp 85 000 von ihnen entsenden. Und was Satellitenaufklärung, Transportflugzeuge, Flugzeugträger, Präzisionslenkwaffen und intelligente Munition angeht: da liegen die Europäer meilenweit zurück.[11]

Doch diese immer wieder angestellten Vergleiche mit den USA sind sinnlos, denn Europa wird nie in die Lage kommen, gegen die amerikanische Kriegsmaschine kämpfen zu müssen. Die Europäer können mit Hilfe militärischer Intervention Friedensaufbau betreiben, ohne die amerikanische Art der Kriegführung kopieren zu müssen.

Gewiss, die europäischen Regierungen verfügten nicht über die Flugzeuge, Aufklärungsmittel und Präzisionswaffen, die es ihnen erlaubt hätten, den Krieg im Kosovo im Stil der Amerikaner zu führen. Aber sie hätten auf ihre Weise zum Erfolg kommen können, wenn sie sich von vornherein auf einen Bodenkrieg eingestellt hätten. Lawrence Friedman hat die aussichtslose Situation der Iraner, die im ersten Golfkrieg sechs Jahre lang vor Basra standen, ohne dass es ihnen gelungen wäre, den irakischen Verteidigungsring zu durchbrechen, dem Feldzug der Briten im Irak gegenübergestellt, der 2003 genau acht Tage dauerte.[12] Europäische Truppen, so hat sich da bewiesen, sind absolut in der Lage, mit den für sie am ehesten zu erwartenden Kriegsgegnern fertigzuwerden. Tatsächlich dürfte in vielen Arten der kämpferischen

Auseinandersetzung die europäische Kriegführung im Vergleich mit der amerikanischen die geeignetste sein. Bei der Aktion im Kosovo hat sich gezeigt, dass ein Krieg, der aus 5000 Metern Höhe geführt wird, äußerst wenig bewirkt. Das Bombardement beschleunigte die humanitäre Katastrophe in der Zivilbevölkerung; zur Bekämpfung der Guerrilla in den Bergen war es von vornherein ein ungeeignetes Mittel. Vielen Kommentatoren erscheint die amerikanische Militärstrategie insofern widersinnig, als sie in einer Zeit unkonventioneller Kleinkriege die Streitkräfte auf Bedrohungen großen Formats vorbereitet.[13]

In den Balkanländern, in Somalia, Afghanistan, Tschetschenien oder im Irak ging es weniger um einen Krieg gegen eine nationale Armee mit einer Kriegsflotte, einer Luftwaffe und Panzerkräften, sondern vielmehr um Straßen- und Häuserkämpfe mit Rebellen. Es ging darum, in einem feindlich gesinnten zivilen Umfeld Terrain zu besetzen und zu halten. Unter diesen Umständen – darauf hat Anatol Lieven aufmerksam gemacht – ist nicht mehr, sondern weniger Feuerkraft angesagt. Tatsache ist, dass die amerikanische Fixierung auf die Feuerkraft und den Schutz eigener Kräfte unvertretbar viele Opfer in der Zivilbevölkerung bedingt.[14]

Die Unterschiede zwischen der europäischen und der amerikanischen Vorgehensweise machten sich im Irak bemerkbar. In Bagdad brachte die amerikanische Kampagne zur Bekämpfung des Aufstands (*counter-insurgency*) die gesamte Einwohnerschaft gegen die Besatzer auf, dagegen bemühten sich die Briten in Basra zunächst einmal darum, Aufständische und harmlose Einheimische voneinander zu sondern. Europäische Soldaten sind auf solche Aufgaben besser vorbereitet als amerikanische, denn ihre militärischen Erfahrungen haben sie weniger bei konventionellen Kriegshandlungen, sondern hauptsächlich bei Friedensmissionen und Aktionen zur Aufrechterhaltung von Ruhe und Ordnung gesammelt.[15]

Die Europäer müssen dringend in den Ausbau ihrer militärischen Fähigkeiten investieren – doch das sollten sie auf ihre eigene Weise tun. Bei den EU-Gipfeltreffen der jüngsten Vergangenheit einigte man sich auf die Aufstellung von »Battle Groups« (Gefechtsverbänden), die innerhalb weniger Tage einsatzbereit sind und Bürgerkriege gleich niederschlagen können; auf eine schnelle Eingreiftruppe von 60 000 Mann, die innerhalb von 60 Tagen einsetzbar sind; auf die Einsetzung eines europäischen Außenministers, der die unterschiedlichen politischen Agenden der Mitgliedstaaten koordiniert; auf eine »Europäische Sicherheits- und Verteidigungspolitik« (ESVP) (d.i. ein Konzept zur Entwicklung der Fähigkeit der EU zur militärischen und zivilen Krisenbewältigung und Konfliktprävention im Einklang mit den Grundsätzen der UN-Charta; Anm. d. Übers.); und auf die Einrichtung einer »Europäischen Verteidigungsagentur« (die Anfang 2005 in Brüssel ihre Tätigkeit aufgenommen hat, mit der Hauptaufgabe, die militärischen Fähigkeiten der EU-Mitgliedstaaten zu verbessern; Anm. des Übers.). Der amerikanische Verteidigungsexperte Michael O'Hanlon ist zuversichtlich, dass Letzteres schon mit nur geringfügig gesteigerten Ausgaben für die Verteidigung möglich sein wird. Wenn die Partnerstaaten jeweils nur zehn Prozent ihres Verteidigungsetats für die Anschaffung bestimmter Rüstungsgüter – beispielsweise Langstrecken-Transportflugzeuge und -Frachtschiffe, unbemannte Flugkörper und Präzisionslenkwaffen – abzweigten, wären sie binnen eines Jahrzehnts in der Lage, jederzeit bis zu 200 000 Mann Elitetruppen an jeden Punkt der Erde zu verlegen. Das ließe sich finanzieren mit der Reduzierung der Personalstärke um 25 Prozent bei gleichzeitiger Konzentration auf die Heranbildung hoch qualifizierter Kampftruppen.[16] Und langsam bewegen sich die EU-Staaten in diese Richtung.

Die Europäer haben aus bitterer Erfahrung gelernt, dass man zuweilen Krieg führen muss, um Frieden zu schaffen. Doch selbst bei verbesserten militärischen Fähigkeiten werden sie unter allen bedeutenden Mächten auf diesem Planeten immer die Letzten sein, die zur Gestaltung der Welt Waffengewalt gebrauchen. Was die Europäische Union auszeichnet, ist, dass sie auf Hilfsaktionen, Handels- und Entwicklungsmaßnahmen zur Krisenbewältigung zurückgreifen kann.[17] Zu ihren Hilfstruppen zählen ja nicht nur Soldaten, sondern auch 45 000 Diplomaten, 5000 Polizeikräfte und 2000 Katastrophenhelfer, ferner ein Angebot an Juristen und Wahlbeobachtern.[18]

Das Fehlen einer militärischen Option, so sahen wir in den Kapiteln eins bis vier dieses Buches, veranlasste die Europäische Union zu kreativen Lösungen der Einflussnahme; nämlich zur Verbreitung ihrer Rechtsordnung, die dann durch Wirtschaftsmacht gestützt wurde. Der eigentliche Erfolg europäischer Außenpolitik wird nach wie vor darin liegen, kriegerische Auseinandersetzungen ganz zu vermeiden.

KAPITEL 6
Der Stockholm-Konsens*

»Zusammen Haferbrei essen ist besser als Kotelett allein« lautet die Philosophie eines Haufens von bärtigen und langhaarigen Idealisten, die nach dem Ausstieg aus dem Haifischbecken Konkurrenzgesellschaft Mitte der 1970er-Jahre in einer Stockholmer Kommune ein alternatives Leben der einfachen Genüsse erproben. Sie teilen alles miteinander: ihre Körper (in offenen Bezie-

---

* Nach dem Zusammenbruch des real existierenden Sozialismus gelangte in den 1990er-Jahren neoliberales Gedankengut zu hegemonialer Stellung. Im wirtschaftspolitischen Diskurs setzte sich weltweit der Washington-Konsens durch, den sein Erfinder John Williamson, Ökonom am Institute for International Economics in Washington, durch zehn wirtschaftspolitische Prioritäten definiert sah:

1. Senkung der Budgetdefizite auf ein nicht-inflationäres Niveau
2. Neue Prioritäten bei den Staatsausgaben zugunsten von Bildung, Infrastruktur usw.
3. Steuerreformen mit dem Ziel, Grenzsteuersätze zu senken und die Steuerbasis zu verbreitern
4. Übergang zu marktbestimmten Zinssätzen (*financial liberalisation*)
5. Wechselkurse, die ein schnelles Wachstum nicht-traditioneller Exporte ermöglichen
6. Außenhandel: Abbau von Mengenbeschränkungen; Zollsenkungen
7. Abbau von Barrieren für ausländische Direktinvestitionen
8. Privatisierung von Staatsunternehmen
9. Deregulierung bei start-ups, allgemeiner Abbau von Wettbewerbsbeschränkungen
10. Besserer Schutz der Eigentumsrechte, insbesondere im informellen Sektor.

»Stockholm Consensus« nennt der Verfasser eine Vision, die er dem »Washington Consensus« entgegensetzt. (Anm. des Übers.)

hungen, lesbischen Experimenten, dem »Lüften« intimer Körperteile), ihre Besitztümer (ABBA-Platten, selbst angebautes Gemüse, einen klapprigen VW-Bus), ihren Zeitvertreib (bei ihrem Lieblingsspiel »Pinochet« mimen die Kinder der Kommunarden mit wechselnder Rollenverteilung Folterer und Opfer) und ihre gegensätzlichen Interpretationen des Marxismus-Leninismus (ein Hauptdebattenpunkt ist die Frage, ob Geschirrspülen bourgeois ist).[1] Aber Erik und Gustav, Lena und die anderen Protagonisten in Lukas Moodyssons feinfühligem Film *Zusammen* sehen sich auf die Dauer gezwungen, von der Radikalität ihrer idealistischen Grundsätze Schritt um Schritt abzuweichen. Neue Mitglieder und das gierige Konsumverlangen der jüngeren Generation höhlen den Wertekanon der Kommune aus: Das strikte Fleischverbot wird gelockert, die Anschaffung eines Fernsehapparats ist nicht länger tabu, und schließlich verlassen die Kommunarden dieser oder jener Form »bürgerlichen« Wohllebens zuliebe einer nach dem anderen die Wohngemeinschaft. Ist der Film ein Sinnbild für die Europäische Union, deren Versuch, für die heutige Generation ein Paradies auf Erden zu schaffen, durch Globalisierung, die demographische Zeitbombe und stockendes Wirtschaftswachstum gefährdet ist?

In den Augen vieler Amerikaner ähnelt die europäische Wirtschaft einer Hippie-Kommune: Sie steckt in den 1970er-Jahren fest; sie ist reformunfähig, weil jedesmal, wenn eine wichtige Entscheidung ansteht, eine wirre Diskussion beginnt, die zu keinem Ergebnis führt; und sie ist stärker an versponnenen Ideen über Lebensqualität interessiert als an der ökonomischen Leistungsbilanz. Der Erfolg wird sich erst dann einstellen, sagen diese Kritiker, wenn die EU mit niedrigeren Steuern, weniger sozialen Sicherungen, weniger Staat und präziser Ausrichtung auf den *shareholder value* dem Beispiel der USA folgt.

Diese in den USA gängige Auffassung hat nur einen Haken: Sie findet keinen Rückhalt in den Fakten. Schweden ist längst nicht mehr das Land von Björn Borg, ABBA, Pippi Langstrumpf, geschmacklosen Pornofilmen und noch geschmackloseren Frisuren. Die neuen Aushängeschilder seiner Wirtschaft sind weltweit führende Unternehmen wie Ikea, Ericsson, Volvo, Saab, Absolut Vodka, Astra Zeneca und Hennes & Mauritz. Um seine Bevölkerungsstatistik mit einem Erwerbstätigenanteil von 75 Prozent bei stetigem Wachstum das gesamte 1990er-Jahrzehnt hindurch dürfte man Schweden in aller Welt beneiden.[2] Jedoch bleibt es hier anders als in den USA bei einem niedrigen Grad sozialer Ungleichheit, hohen Steuersätzen, starken Gewerkschaften und einem großen öffentlichen Sektor.

Schweden steht nicht allein: Viele europäische Länder haben die USA bei einer ganzen Reihe von Indikatoren überflügelt – angefangen bei der Konkurrenzfähigkeit über den Beschäftigungsgrad bis hin zu Forschung und Entwicklung und Innovation. Finnland, lange Zeit ein verschlafenes Agrarland irgendwo hinterm Mond und für die meisten seiner Produkte auf den sowjetischen Markt angewiesen, rückte innerhalb nur eines Jahrzehnts unter die Ersten auf der Weltrangliste der IT- und Mobilfunkanbieter auf (Nokias Anteil am Weltmarkt für Handys beläuft sich auf 30 Prozent, das Computerbetriebssystem Linux ist der einzige ernst zu nehmende Konkurrent von Microsofts Windows).[3] In einem ähnlichen Entwicklungsprozess ließ Irland seine agrarische Vergangenheit hinter sich und mauserte sich zum »keltischen Tiger«. Mit vermehrter Teilzeitbeschäftigung im Dienstleistungssektor plus mehr Frauenarbeit sowie mit Lohnzurückhaltung erzielten Holland und Dänemark im vergangenen Jahrzehnt statistische Bestwerte bei der Arbeitsplatzbeschaffung. Die genannten Volkswirtschaften haben bereits Nachahmer in anderen Teilen Europas gefunden: Deutschland hat seine Agenda 2010 aufgestellt, Frankreich eine ehrgeizige Strukturreform gestartet, und von Polen bis Estland reformieren die neuen EU-Mitglieder ihre Wirtschaft in erstaunlichem Tempo.[4]

Europas Umgestaltungskraft könnte eines Tages weltweit auf den Bereich der Wirtschaft übergreifen. Mit fortschreitender Entwicklung wäre es für riesige Flächenstaaten wie Brasilien, Südafrika, Indien und die Volksrepublik China durchaus opportun, ein außergewöhnliches Wirtschaftsmodell zu erproben, das die Vorteile der Massenproduktion für einen kontinentalen Markt mit hoher Produktivität paart, der Bevölkerung die soziale Sicherheit und Gleichheit bietet, die nur solide wohlfahrtsstaatliche Arrangements zu schaffen vermögen.

Europäisches Wirtschaftswachstum

Die Wertschöpfung der europäischen Volkswirtschaft tritt eher in der Lebensqualität, die der Kontinent der Allgemeinheit bietet, als in Wachstumsraten in Erscheinung, doch selbst nach den herkömmlichen Kriterien für Wirtschaftsleistung fällt die europäische Bilanz bei weitem beachtlicher aus, als ihre amerikanischen Kritiker glauben machen wollen.

Selbst während des »amerikanischen Wirtschaftswunders« in dem 1990er Jahren fielen die Lohnsteigerungen für den einzelnen Arbeitnehmer in Europa höher aus als für seinen Kollegen in den USA. Das Pro-Kopf-Bruttoinlandsprodukt wuchs in Europa und Amerika in ungefähr gleichem Maß, indes mussten die Amerikaner dafür längere Arbeitszeiten und kürzere Urlaubszeiten hinnehmen als ihre europäischen Kollegen. Manche Kommentatoren gehen sogar so weit zu sagen, die US-Wirtschaftsgeschichte der 1990er Jahre handle in Wahrheit nicht von einem Wirtschaftswunder, sondern von einem Defizit.[5]

Tatsächlich mussten viele Amerikaner trotz Wirtschaftswachstums einen Einkommensrückgang hinnehmen. Das Realeinkommen von Industriearbeitern sank im Privatsektor 1973–1995 um 14 Prozent. Nach einem fünfprozentigen Zuwachs 1995–1999 war es dann nach der Rezession von 2001 wieder aus mit Einkommenssteigerungen. Aus den amtlichen Zahlen des US-Bundesamts für Bevölkerungsstatistik geht hervor, dass 2001–2004 das Realeinkommen der amerikanischen Durchschnittsfamilie um 1 511 Dollar zurückging.[6] Das deckt die Problematik einer der unter Volkswirtschaftlern am häufigsten zitierten Zahlen auf: der Angabe nämlich, das Bruttoinlandsprodukt (BIP) der USA habe 1993–2003 jährlich um durchschnittlich 3 Prozent zugenommen, – in der Eurozone dagegen lediglich um 1,8 Prozent.[7]

In Wahrheit jedoch geht das Wachstum der US-Wirtschaft – das kommt in dem *Gesamtwert* 3 Prozent nicht zum Ausdruck – weniger auf verbesserte ökonomische Leistung zurück denn auf ein Bevölkerungswachstum. Die Zuwachsrate bei der Bevölkerung betrug in den 1990er-Jahren in den USA durchschnittlich 1,2 Prozent jährlich gegenüber 0,5 Prozent in der Eurozone. Zieht man statt des Gesamtwerts das entsprechend bereinigte *Pro-Kopf-BIP* von 2,1 Prozent zum Vergleich heran, schrumpft der Vorsprung der USA auf 0,3 Prozent zusammen. Hinzu kommt, dass der Leistungsrückstand der EU ganz allein durch die Situation in einem einzelnen Land bedingt ist, in Deutschland nämlich, wo man seit 1989 die Kosten der Wiedervereinigung zu verkraften hat. Man mag es als Mogeln bezeichnen, aber wenn man Deutschland aus den Berechnungen herausnimmt, ergeben sich für beide Kontinente die gleichen Werte, und der Abstand zwischen Amerika und Europa schrumpft auf null.[8]

Eine weitere Fehleinschätzung liegt der Ansicht zugrunde, dass die Produktivität in den USA über den Standard der Eurozone weit, weit hinaus sei. Kevin Daly von der Investmentbank Goldman Sachs legte klar, dass der Produktivitätsstandard, gemessen in Output pro Stunde, in der Eurozone 2003 nur um 4 Prozent geringer war als in den USA, was eine leichte Verbesserung gegenüber der zehn Jahre zuvor festgestellten Relation bedeutete[9] (der Vorsprung der USA lässt sich zu einem großen Teil aus Umgebungsbedingungen erklären: Der Einzelhandel ist in den USA in Einkaufszentren außerhalb der Stadt, in Europa weitgehend im Stadtzentrum lokalisiert[10]). Der Output der einzelnen amerikanischen Arbeitnehmer ist insgesamt größer als der der europäischen, aber das hat einen simplen Grund: Amerikaner arbeiten länger. Im Jahr 2003 betrug die Pro-Kopf-Jahresarbeitszeit* in den USA 866 Stunden, im Europa der Fünfzehn

691 Stunden.[11] Die Differenz ist zum großen Teil dem Umstand geschuldet, dass der Jahresurlaub des durchschnittlichen Arbeitnehmers in den USA nur 10 Tage beträgt, in mehreren europäischen Ländern dagegen 30 Tage oder mehr.[12]

Der vielleicht verbreitetsten Legende zufolge hat die Produktivitätssteigerung in den USA Arbeitsplätze geschaffen, in der Eurozone dagegen Arbeitsplätze vernichtet: Im vergangenen Jahrzehnt hat die Zahl der Erwerbstätigen – d.h. selbstständig wie abhängig Beschäftigter – in den USA jährlich um 1,3 Prozent zugenommen, in der Eurozone jedoch nur um 1 Prozent. Lässt man jedoch den Sonderfall Deutschland außer Betracht, liegen die USA und die Eurozone auf das gesamte Jahrzehnt gesehen gleichauf, wobei Letztere seit 1997 die Nase vorn hat. (Die Zahl der Erwerbstätigen nahm hier um 8 Prozent zu gegenüber 6 Prozent in Amerika. Und selbst diese 6 Prozent sind aus der Sicht des Statistikers nicht ganz astrein, lassen sie doch die Tatsache unberücksichtigt, dass einem amtlichen Report zufolge ständig knapp ein Prozent der US-Bevölkerung in Haftanstalten einsitzt.[13]) Wahr ist, dass die europäischen Länder bei der Erwerbstätigkeit von über 55-Jährigen und von Frauen weit zurückliegen, aber wie wir noch sehen werden, stemmen sich bereits mehrere europäische Regierungen gegen den Trend zur Frühverrentung und Frühpensionierung und arbeiten an Programmen, mit denen Müttern die Rückkehr ins Arbeitsleben schmackhaft gemacht werden soll.

Die zitierten Zahlen beweisen vor allem eines: Wie falsch es ist, zwischen Beschäftigung und sozialer Gleichheit eine simple Umkehrbeziehung anzunehmen und daraus die wirtschaftspolitische Richtlinie abzuleiten, dass ein hoher Beschäftigungs-

---

* Den angegebenen Zahlen liegt die britische Definition der Pro-Kopf-Jahresarbeitszeit zugrunde: Gesamtzahl der in einem Jahr geleisteten Arbeitsstunden geteilt durch die Zahl der *Gesamtbevölkerung.* (In Deutschland: geteilt durch die Zahl des *erwerbstätigen Teils der Bevölkerung*; Anm. des Übers.)

stand nur über schlechte Jobqualität, Arbeitsplatzunsicherheit, schlechte Bezahlung und extreme soziale Ungleichheiten zu erreichen sei. Das Gegenteil ist wahr: Gerade die großzügigsten Wohlfahrtsstaaten – Schweden, Dänemark, Norwegen, Irland und die Niederlande – weisen die höchsten Beschäftigtenzahlen auf. Jedes einzelne dieser Länder hat die Vereinigten Staaten in puncto ökonomische Leistungsbilanz locker abgehängt. Großbritannien, Finnland, Portugal und Österreich sind mit Erwerbsquoten um die 70-Prozent-Marke den USA auf den Fersen.[14] Woran liegt das? Daran, dass diese Länder aus der Rolle des passiven Wohlfahrtsstaats, der lediglich das Sicherheitsnetz für die Abstürzenden bereithält, übergewechselt sind in die Rolle des aktiven Wohlfahrtsstaats, der sich als Chancengenerator versteht und als solcher tätig ist.

Ein letzter Irrtum dieser Art besagt, europäische Firmen könnten ihr ökonomisches Leistungspotenzial nicht voll ausschöpfen, weil die führenden Köpfe in ihrem Einsatz für den *shareholder value* gebremst würden durch Verantwortlichkeiten gegenüber der Belegschaft wie der ganzen Gesellschaft. In Wirklichkeit sind von den 140 größten Unternehmen der »Fortune Gobal 500« 61 in Europa zu Hause (50 in den USA, 29 in Asien).[15] Und es sind europäische Unternehmen, die in Schlüsselsektoren – Energie, Telekommunikation, Luft- und Raumfahrt, Depositenbanken und Arzneimittelherstellung – der Weltwirtschaft das Tempo vorgeben. Die Erfolgsgeschichten von Vodafone, dem *global player* Nummer eins im Mobilfunksektor, und des Airbus-Konsortiums, das die amerikanische Boeing Company in den Schatten stellte, geben deutlich genug zu erkennen, dass amerikanische Vorstandsetagen in zukunftsträchtigen Wirtschaftssektoren hinter den europäischen Spitzenreitern herhinken.[16]

Wie man die demographische Zeitbombe entschärft

Einer der stärksten Gründe für Europessimismus ist der allgemeine Rückgang der Geburtenraten auf dem Alten Kontinent. Das Albtraumszenario sieht ein allmähliches Ausbluten der europäischen Wirtschaft voraus, woran die ständig wachsende Zahl der Rentner schuld ist, die auf Kosten einer stetig schrumpfenden arbeitenden Bevölkerung lebt. Der Anteil der Über-60-Jährigen an der Bevölkerung im erwerbsfähigen Alter wuchs im Zeitraum 1965–2000 von 20 auf 35 Prozent. Den Prognosen zufolge wird die Zahl bis 2020 auf 47 Prozent und bis 2050 auf 70 Prozent ansteigen, was die Europäische Kommission veranlasste, für die Bevölkerungsentwicklung einen Rückgang der Wachstumsrate von derzeit ungefähr 2 Prozent auf 1,25 Prozent im Jahr 2040 zu prognostizieren.[17]

Aber ein Trend, den die Demographen ausgemacht haben, nimmt nicht unbedingt den prognostizierten – in diesem Fall: katastrophalen – Verlauf: Bis jetzt haben sich demographische Voraussagen meist nicht bewahrheitet, – das fängt schon bei Thomas Malthus und seiner apokalyptischen Vision einer aufgrund des Bevölkerungswachstums verhungernden Menschenmasse an. Und vieles spricht dafür, dass die Schwarzseher sich auch heute im Irrtum befinden. Nach jahrelangem Sinken der Geburtenrate sind in Schweden, Dänemark, Norwegen, Großbritannien und Frankreich Anzeichen einer Trendwende zu erkennen, und andere europäische Länder lernen aus dem Beispiel der genannten. Italien, Deutschland und Spanien (drei von den Ländern mit mit niedrigsten Geburtenraten) schaffen nun finanzielle und steuerliche Anreize, die Paare dazu bewegen können, mehr Kinder zu haben. Und wie das Beispiel der Skandinavier und der Franzosen lehrt, können sachgemäße Mutterschutz- (wie auch Vaterschutz-)Gesetze und die Bereitstellung von Kinderbetreuungseinrichtungen sogar enorm viel mehr bewirken als finanzielle und steuerliche Anreize.

Auch die Rentendebatte schafft ein falsches Bild. Alle einschlägigen Untersuchungen kamen zu dem Ergebnis, dass eine so simple Maßnahme wie die Heraufsetzung des gesetzlichen Rentenalters die tickende Zeitbombe steigender Altenlastquotienten sofort zu entschärfen vermag.[18] Einer Schätzung der Europäischen Kommission zufolge müssen die EU-Mitgliedstaaten, um die Kosten des Rentensystems in Europa stabil zu halten, es lediglich schaffen, die durchschnittliche Altersgrenze von derzeit 60 Jahren kostenneutral auf 65 Jahre anzuheben.[19] Das ist für Politiker jeglicher Couleur eine heikle Aufgabe, aber es gibt in der EU keine Regierung, die sie nicht bereits in Angriff genommen hätte: mit – vielfach am schwedischen Modell orientierten – Rentenreformen, die den von einer überalterten Bevölkerung ausgehenden fiskalischen Druck vermindern und auf die Verlängerung des Arbeitslebens hinwirken werden.

Eine weitere Teillösung des demographischen Problems ist das Ja zur »regulierten Zuwanderung«, das heute allenthalben in Europa die vorherrschende Haltung ist. Alle europäischen Staaten rücken nun ab von ihrer bisherigen pauschalen Ablehnung der Arbeitsmigration und stellen Kriterien hinsichtlich der Qualifikation und des Einkommensanspruchs auf, nach denen Arbeitsmigranten die Zuwanderung gestattet werden kann. Ungelernte Arbeitskräfte sollen je nach Bedarf zur Behebung von saisonbedingten Engpässen am Arbeitsmarkt befristet zugelassen werden, damit der Anreiz zum illegalen Grenzübertritt entfällt.

Übrigens – und das ist hier kein ganz unwichtiger Gesichtspunkt – hat nicht allein Europa mit dem Problem zu kämpfen. Wissenschaftliche Untersuchungen belegen, dass mit fortschreitender Wirtschaftsentwicklung die Alphabetisierungsrate steigt, die soziale Position der Frauen gestärkt wird und die Geburtenhäufigkeit zurückgeht. Demnach könnte auch das Wirtschaftswachstum in China durch zunehmende Überalterung der Bevölkerung in Gefahr geraten. In den USA wird das Problem vorläufig noch durch eine höhere Geburtenrate und Zuwanderung gemildert, indes ist (zumindest im gegenwärtigen geopolitischen Klima) fraglich, ob Letztere ewig so weitergehen kann. Entscheidend ist, Mittel und Wege zu finden, den Gesamtabhängigkeitsquotient zu stabilisieren. Die EU-Staaten gehören zu den ersten Betroffenen, sie haben den Handlungsbedarf erkannt und Lösungswege beschritten.

Der Euro und der Dollar

Was die Zukunft der europäischen Wirtschaft angeht, liefert uns das Europäische Projekt drei Gründe für mehr Optimismus.

Der erste ist der Euro, der es den EU-Ländern ermöglichen könnte, einige der Vorteile, die die Vorrangstellung des Dollars den Vereinigten Staaten eingebracht hat, an sich zu bringen. In vieler Hinsicht ist der Dollar das schmutzige Geheimnis hinter dem amerikanischen Wirtschaftswunder, denn er versetzt die einsame Supermacht in die Lage, das heimische Zahlungsbilanzdefizit auszugleichen, indem sie dem Ausland ihre schwindsüchtige Währung andreht. Mit Recht darf jedoch bezweifelt werden, dass der Rest der Welt Amerikas Verschwendungssucht auf ewige Zeiten tolerieren wird. Das Leistungsbilanzdefizit der USA beläuft sich auf 5 Prozent des BIP, wohingegen die Eurozone einen Überschuss vorzuweisen hat. In den USA betragen die Ersparnisse der privaten Haushalte heute weniger als 2 Prozent des BIP gegenüber 12 Prozent in der Eurozone, und die Gesamtverschuldung der Privathaushalte beläuft sich auf 84 Prozent des DIP (50 Prozent in der Eurozone). Das ist auf die Dauer nicht aufrechtzuerhalten –, und wie der Wirtschaftsmathematiker I.N. Herstaein bemerkte: »Was nicht immer und ewig so weitergehen kann, geht in aller Regel auch nicht so weiter.«

Noch sind annähernd zwei Drittel aller amtlichen Währungsreserven in Dollar angelegt, gleichwohl ist ein deutlicher Trend weg vom Dollar, hin zum Euro zu erkennen. Eine Reihe von Ländern hat bereits die Reserven ganz oder zum Teil in Euro umgetauscht. Derzeit kommt der Euro in den amtlichen Devisenreserven weltweit nur auf 18,7 Prozent gegenüber den 64,5 Prozent des Dollars, aber die Zeichen stehen für anhaltendes Wachstum des Euro-Anteils. Weltweit haben etwa 150 Länder ihre Währung zu einem fixen Wechselkurs an eine Referenzwährung gebunden, und für 51 von ihnen ist der Euro diese Anker- oder Referenzwährung oder zumindest eine Hauptkomponente im Referenz-Währungskorb.[20]

Diese 51 Länder repräsentieren nur einen geringen Prozentsatz der weltweit vorhandenen Geldbestände, aber der Wechsel zum Euro beschleunigt sich: Russland stockte 2003 seine Euro-Reserven auf rund 25 Prozent seiner Währungsreserven im Gesamtwert von 65 Milliarden Dollar auf, und auch in China hat man die wachsende Bedeutung des Euro als Reservewährung erkannt. Ende 2003 kursierte das Gerücht, die OPEC-Länder dächten daran, den Erdölpreis künftig in Euro festzusetzen, weil die anhaltende Dollarschwäche ihre Erlöse schmälere und sie zur Produktionssteigerung zwinge. Ein solcher Wechsel bei der währungsgebundenen Preisfestsetzung für die bedeutendste Handelsware der Welt (12 Prozent des Welthandelsvolumens) wäre für den Euro aufgrund der damit einhergehenden gesteigerten Verwendung als Zahlungsmittel ein großer Schritt in Richtung internationale Leitwährung. Ein großer Wechsel wird sich vollziehen, wenn asiatische Zentralbanken einen Teil ihrer Reserven in Euros konvertieren. Das steht bereits auf ihrem Programm, sofern man einem führenden Exponenten der Londoner Finanzwelt glauben kann, dessen Haus eine Reihe asiatischer Zentralbanken zu seinen Kunden zählt. Romano Prodi hat mir über seine erste Begegnung mit dem chinesischen Staatspräsidenten Jiang Zemin erzählt, dass der sich fasziniert vom Euro gezeigt habe. Beim Abschied soll er gesagt haben: »Wir werden unsere Reserven aus zwei Gründen in Euros konvertieren. Erstens weil wir an eine multipolare Welt glauben. Und zweitens weil wir dabei ein gutes Geschäft machen werden.«

Falls es der Euro zur globalen Reservewährung bringt, verstärkt das ganz enorm die Kontrolle der EU-Staaten über ihre wirtschaftliche Zukunft. Europa wird sich wahrscheinlich nicht die Vereinigten Staaten zum Vorbild nehmen – will sagen: wird seine Stellung als einer der Bankiers der Welt nicht dazu ausnutzen, ein gigantisches eigenes Leistungsbilanzdefizit zu finanzieren –, aber eine ordentliche Kapitalspritze für die europäische Wirtschaft dürfte zweifellos die Nachfrage anregen.

Hören wir, was der kanadische Volkswirtschaftler und Nobelpreisträger des Jahres 1999 Robert Mundell sagt: »Die Einführung des Euros könnte sich als die wichtigste Entwicklung im Weltwährungssystem erweisen, seit der US-Dollar bald nach der Gründung der amerikanischen Zentralbank, der Federal Reserve, im Jahre 1913 zur dominierenden Währung aufstieg ... Die Eurozone könnte binnen eines Jahrzehnts ohne weiteres nicht weniger als 50 Länder umfassen mit einer Bevölkerungszahl von über einer halben Milliarde und dazu ein wesentlich höheres BIP als die Vereinigten Staaten aufweisen.«

Im Zeichen der Energieunabhängigkeit

Den zweiten Grund zum Optimismus hinsichtlich der europäischen Wirtschaft finden wir im Faktor Energie. Im Wettlauf um die Beendigung der Abhängigkeit von konventionellen Energierohstoffen ist die Europäische Union den Konkurrenten Amerika und Asien weit voraus – und das macht sie zum ersten Kontinent im Zeichen der »Energieunabhängigkeit«. Hier hat man begriffen, dass die Erhaltung des Planeten für kommende Generationen nicht bloß eine existenzielle Herausforderung, sondern auch unter dem ökonomischen Gesichtspunkt eine außerordentlich sinnvolle Sache ist.

Nordamerika ist bereits der größte Erdölverbraucher der Welt, mehr als ein Viertel der Gesamtnachfrage des Jahres 2001 ging von hier aus. Zudem wird für den Erdöldurst der USA ein jährlicher Anstieg von 1,7 Prozent vorausgesagt. Für die Zunahme ist, den Voraussagen zufolge, größtenteils der Transportsektor verantwortlich, in dem Personenwagen und Kleintransporterflotten – einschließlich der Treibstoffschlucker großen Stils, der Geländewagen (neudeutsch SUVs, *sport utility vehicles*) – das größte Verbrauchssegment darstellen.

Europa hat demgegenüber die Welt in den Wechsel zu den erneuerbaren Energiequellen eingewiesen. Es steht bereits für einen CO_2-Ausstoß von bloßen 3,176 Millionen Tonnen gegenüber amerikanischen 6,016 Millionen Tonnen. Die Zahlen bedeuten, dass ein US-Bürger dreimal so viel CO_2-Ausstoß produziert wie ein Europäer. Am 1. Januar 2005 startete die Europäische Union das weltweit größte und effizienteste Emissionshandelssystem für mehr als 12 000 über ganz Europa verteilte energieerzeugende und energieintensive Industriebetriebe. Es bietet Firmen eine kosteneffektive Möglichkeit, unter Einhaltung der im »Kyoto-Protokoll« niedergelegten Klimaschutzrichtlinien ihren Schadstoffausstoß zu verringern.

Und es sind nicht wenige Länder, die entschlossen bei der Kohlendioxid-Entziehungskur mitmachen. Schweden zum Beispiel: Dort stammen nur noch 40 Prozent der verbrauchten Energie aus Mineralöl, 40 Prozent kommen aus erneuerbaren Quellen und 20 Prozent aus der Kernkraft. Im Jahr 2000 begann Schweden eine ökologische Steuerreform (»grüne Steuerverschiebung«), die im Lauf von zehn Jahren die Steuerlast von Einkommen (einschließlich Profiten) auf nicht zukunftsfähigen Verbrauch, zumal auf den Verbrauch von Energie aus nicht erneuerbaren Quellen, verschieben soll. Darüber hinaus vergibt die schwedische Regierung auch »grüne Zertifikate«, um die Erzeugung von »Bioenergie«, Wind- und Solarenergie anzukurbeln.[21]

Die Übertragung des Zertifizierungssystems auf die europäische Ebene ist im Gespräch. In jüngster Zeit haben wir einen Anstieg der Mineralölpreise erlebt, der die amerikanische Wirtschaft lahmlegen und die Entwicklung in China und Indien bedenklich verlangsamen könnte. Und in Zukunft wird die Lage sich wahrscheinlich noch verschärfen. Nach den Schätzungen von Analysten wird bis 2020 Chinas Energieverbrauch jährlich um

3,8 Prozent, der amerikanische jährlich um 1,4 Prozent steigen. Dank ihrem derzeit niedrigen Verbrauchsniveau und einer prognostizierten mäßigen Steigerungsrate von jährlich 0,7 Prozent könnte die Europäische Union bald die Früchte ihrer »Energieunabhängigkeit« ernten.[22]

Die Kraft von Integration und Erweiterung

Vielleicht der größte Segen für die europäische Wirtschaft ist das europäische Projekt selbst. Europas Wirtschaftskraft ruht auf zwei Säulen: die eine ist die Größenordnung der gesamteuropäischen Wirtschaft, die eine Machtstellung im globalen Wirtschaftsgeschehen begründet, die zweite die hohe Qualität des Lebensstandards, den sie den Bürgern der EU zu bieten vermag. Beides erfuhr durch die fortgesetzte Integrationspolitik und Erweiterung der Europäischen Union Zunahme und Verstärkung.

Bereits die Einrichtung des Europäischen Binnenmarktes zum 1. Januar 1993 war eine enorm folgenreiche Maßnahme. Nach Einschätzung der Europäischen Kommission war das BIP der Europäischen Union 2002 um fast 2 Prozent höher, als es ohne die Einführung des Binnenmarktes gewesen wäre, und die Erwerbstätigkeit lag um 1,5 Prozent höher. Eine weitere Auswirkung war die Verdoppelung von ausländischen Direktinvestitionen in der EU, während der verstärkte Wettbewerb die Verbraucherpreise auf ein Rekordtief drückte (die Flugpreise sanken um 40 Prozent, die Telekommunikationskosten um mehr als 50 Prozent).[23]

Die Erweiterungen könnten ebenfalls Neugestaltungseffekte zeitigen. Schätzungen der Europäischen Kommission gehen dahin, dass die bloße Tatsache des EU-Beitritts das BIP-Wachstum in den neuen Mitgliedsländern jährlich um 1,3–2,1 Prozentpunkte steigern wird; in den »alten« EU-Ländern wird die BIP-Wachstumsrate 0,7 Prozentpunkte betragen.[24]

Eine von der Investmentbank Goldman Sachs in Auftrag gegebene Studie kam für China, Indien, Brasilien und Russland zu dem Ergebnis, dass jedes dieser Länder binnen eines halben Jahrhunderts jedes der G7-Länder (Amerika, Japan, Deutschland, Frankreich, Großbritannien, Italien und Kanada) an wirtschaftlicher Leistung übertreffen wird. Heute beläuft sich das BIP (in Dollar umgerechnet) jener vier auf ein Achtel des Outputs der G7-Staaten.[25] Doch in weniger als 40 Jahren, so will die Goldman-Sachs-Studie wissen, wird der Gesamtoutput der vier den der G7 hinter sich gelassen haben.[26]

Aus diesem Befund lasen manche für die nicht allzu ferne Zukunft den Absturz Europas in die weltwirtschaftliche Bedeutungslosigkeit heraus. Aber die Goldman-Sachs-Studie liefert lediglich den Beweis dafür, wie irreführend es sein kann, zukünftige Wirtschaftsdaten zu extrapolieren ohne eine Größe wie den Effekt der europäischen Integration einzubeziehen. Die Stärke der europäischen Position in der Weltwirtschaft rührt von ihrem Bedeutungsgewicht her, das die in der EU verbundenen Volkswirtschaften *als Kollektiv* besitzen (und das mit jeder EU-Erweiterung zunehmen wird), nicht von der Größe der einzelnen Volkswirtschaften. Wenn Deutschland, Frankreich und Großbritannien heute mit den USA über handelspolitische Fragen und Probleme auf gleicher Augenhöhe verhandeln können, so nicht, weil sie G7-Mitglieder, sondern weil sie EU-Mitglieder sind. Es ist möglich, dass die ökonomische Leistung der *einzelnen* EU-Länder in Relation zum Weltmaßstab im Jahr 2050 kleiner sein wird als heute, jedoch wird die Europäische Union *als Block* dann wahrscheinlich noch besser dastehen, denn sie wird durch die Integration heutiger Nachbarländer weiter gewachsen sein.

Wenn die zehn neuen Mitgliedsländer die Kluft zwischen ihrem eigenen und dem westeuropäischen Lebensstandard ebenso erfolgreich schließen, wie es Irland, Spanien und Portugal nach dem Beitritt gelungen ist, wird das eine außerordentlich stimulierende Wirkung auf die gesamte europäische Wirtschaft ausüben. Eine von der amerikanischen Investmentbank Lehman Brothers in Auftrag gegebene Studie kam zu dem Ergebnis, dass ein solches Wirtschaftswachstum in den Beitrittsländern zu einem Szenario führen könnte, in dessen Verlauf »Europa, ungeachtet des zunehmenden Altenanteils, bei richtiger Politik seine Bedeutung in der Weltwirtschaft über die kommenden 15 Jahre sogar noch steigern könnte. Bis zum Jahr 2020 könnte es die EU zu einem Leistungsplus gegenüber den USA von zirka 45 Prozent bringen.« Und eine EU mit fünfzig Mitgliedstaaten wird als Wirtschaftsmacht noch ernster genommen werden müssen als das Europa der fünfundzwanzig.[27]

Stockholm-Konsens contra amerikanisches Wirtschaftsmodell

Aber der Erfolg eines Wirtschaftsmodells erschöpft sich nicht in der Größe des BIP: Er hängt von der Fähigkeit ab, andere zur Nachahmung zu bewegen und so der Weltwirtschaft die Regeln vorzugeben.

Die tatsächlichen Kosten des amerikanischen Wirtschaftsmodells kommen immer deutlicher in den Blick. Professor Robert Gordon von der Northwestern University (Evanston, Illinois) hebt hervor, dass in der Größe des amerikanischen BIP auch sehr viel unproduktiver Aufwand versteckt ist:

- *Privatautos statt öffentlicher Verkehrsmittel.* Beispiel: Durch das miserable Angebot öffentlicher Beförderungsdienste sehen sich US-Bürger zur Anschaffung eines Autos förmlich gezwungen. Der Wert dieser Wagen wird in das US-BIP einbezogen, in Europa hingegen schlagen öffentliche Verkehrssysteme nicht mit ihrem Wert für die Fahrgäste, sondern auf der Kostenseite des Verwaltungshaushalts zu Buche.
- *Die sozialen Kosten der Ungleichheit.* Beispiel: Amerika hat ständig ca. zwei Millionen seiner Mitbürger in Gefängnissen verwahrt: Die Bau- und Betriebskosten (einschließlich der Personalkosten) der Vollzugsanstalten sind ebenfalls im BIP enthalten.
- *Klimaanlagen und Heizung.* Krassere Klimaunterschiede – käl-

tere Winter (außer in Florida und Kalifornien) und heißere Sommer (außer in Washington, Oregon und Kalifornien) – bedingen in den USA höhere Ausgaben der Bürger für Heizung und Klimatisierung, was keineswegs ein Element höheren Wohlstands ist, wie die Einbeziehung dieser Ausgaben in das BIP suggeriert.

Bezieht man nun in den Systemvergleich diese »versenkten Kosten« auch tatsächlich als solche ein, dann, so Gordon, zeigt sich, dass die Westeuropäer bei lediglich drei Vierteln des individuellen Arbeitsvolumens der Amerikaner 90 Prozent von deren Einkommen haben, dazu eine ausgeglichenere Einkommensverteilung und geringere Armutsquoten.[28] Mag sein, dass Europa in Zukunft nicht mehr Schritt hält mit der unersättlichen Konsumgier einer amerikanischen Wirtschaftsweise, die Wachstum über alles stellt, aber das europäische Wirtschaftsmodell ist gesund und kräftig genug, um den Bewohnern des Alten Kontinents eine Lebensqualität ermöglichen zu können, die zum Besten zählt, was in dieser Hinsicht auf der Welt geboten wird.

Alle europäischen Staaten reformieren heute ihre Wirtschaft im Hinblick auf ein heraufziehendes Zeitalter ökonomischer Interdependenz und bemühen sich dabei, die besten Seiten des europäischen Sozialstaatsmodells beizubehalten. Da der schwedische Staat bei so vielen dieser Vorstöße die Vorreiterrolle gespielt hat, könnte man sagen, dass ihr gemeinsamer Zielpunkt ein »Stockholm-Konsens« ist.

Der »Stockholm-Konsens« ist im Endeffekt nichts Geringeres als ein neuer Gesellschaftsvertrag, in dem sich ein starker und flexibler Staat verpflichtet, den Unterbau für eine innovative, offene Wissensökonomie bereitzustellen. Dieser »Unterbau« setzt sich zusammen aus Bildungseinrichtungen, medizinischer Versorgung der Bürger, Kinderbetreuungseinrichtungen, damit die Eltern weiter am Arbeitsleben teilhaben können, und Integrationsunterricht für Zuwanderer. Die Bürger ihrerseits nutzen die Bildungs-, Ausbildungs- und Fortbildungsmöglichkeiten, sind flexibler in ihrer Lebensplanung, und Zuwanderer integrieren sich in Eigeninitiative.

Der »Stockholm-Konsens« ist in vielem das Gegenprogramm zu dem unproduktiven Aufwand des »Washington-Konsens«: Dank einer vergleichsweise niedrigen sozialen Ungleichheit geben die Europäer weniger für die Kriminalitätsbekämpfung und den Strafvollzug aus; durch eine energieeffiziente Arbeitsweise schützt die Wirtschaft sich in gewissem Umfang vor den Folgen von Ölpreiserhöhungen; der Gesellschaftsvertrag gewährt den abhängig Beschäftigten Freizeit und bei Verlust des Arbeitsplatzes Hilfe zur Wiedereingliederung ins Arbeitsleben; dank Binnenmarkt und Euro sind die EU-Bürger Nutznießer der wirtschaftlichen Vorteile globaler Massenproduktion, ohne deswegen auf die Anpassungsfähigkeit und die Dynamik verzichten zu müssen, die sich mit Produktionseinheiten kleinerer Größenordnung verbindet.

In vielen Teilen der Welt, von China bis Brasilien, haben einzelne Staaten Perioden schnellen Wirtschaftswachstums durchlaufen und stellen sich nun dem Problem, wie für die Menschen im unteren Teil der Gesellschaftspyramide die sozialen Lebensbedingungen verbessert werden können. Der Soziologe Amitai Etzioni erklärt diesen vielerorts auf der Welt anzutreffenden Widerstand gegen das amerikanische Wirtschaftsmodell aus der kulturellen Tradition: »Während bei der westlichen Position das Individuum im Mittelpunkt steht, ist der Fokus der östlichen Kulturen eine streng geordnete Gemeinschaft.«

Mit anderen Worten: Während die Vereinigten Staaten den Musterfall einer auf fundamentale Individualrechte gegründeten und auf individuellen Wohlstand ausgerichteten Kultur verkörperten, ist in Asien das Interesse an dem Konzept der »Verantwortung« und an der Förderung des Gemeinwohls vorherrschend. Im »Stockholm-Konsens« hat Europa das Beste aus beiden Welten zusammengebracht: die Dynamik des Wirtschaftsliberalismus und die Stablität und wohlfahrtsstaatlichen Arrangements sozialer Demokratie. Wie schon gesagt: Mit zunehmendem

Wohlstand auf der Welt und einer Lebensqualität, die über die Befriedigung der Grundbedürfnisse (Nahrung, medizinische Versorgung usw.) hinausgeht, wird der *European way of life* zum unschlagbaren Erfolgsmodell werden.

KAPITEL 7

Die Rettung der einzelstaatlichen demokratischen Systeme durch die EU[1]

Wenn es ein Bild gibt, das rund um die Welt mühelos als Symbol der Demokratie verstanden werden kann, so ist es das der ostdeutschen Studenten, die am 9. November 1989 die Berliner Mauer erkletterten und das Bauwerk vor den Augen geschockter Wachsoldaten mit Spitzhacken zu demolieren begannen. Ein Jahr später waren diese Studenten Bürger eines wiedervereinigten Deutschlands und damit der Europäischen Gemeinschaften, der kommenden EU. Die EU integrierte weitere vormals kommunistische Staaten, was für diese Hilfe bei der Demokratisierung und beim wirtschaftlichen Aufschwung bedeutet.

Und dennoch werfen heute viele der Europäischen Union vor, sie zerstöre bei ihrer Ausbreitung über den Kontinent demokratische Traditionen: Sie korrodiere die einzelstaatlichen politischen Mechanismen und lege die Entscheidungen in die Hände der Brüsseler Bürokraten. Die Europäische Kommission sei ein demokratisch nicht legitimiertes, weil nicht gewähltes Gremium von Technokraten, der Ministerrat treibe hinter verschlossenen Türen eine Art geheimer Kabinettspolitik, und die einzige direkt gewählte Institution, das Europäische Parlament, habe es nicht vermocht, die Herzen der Bürger für das europäische Projekt zu gewinnen.[2]

Niemandem, der dieses Gerede hört, könnte man es verargen, würde er sich daraufhin die Brüsseler Bürokratie als eine Ansammlung von korrupten und unbeherrschten modernen Duodezfürsten vorstellen, die ihre gewaltige Macht ganz nach eigenem Gutdünken gebrauchen. Indes ist für jeden, der sich etwas gründlicher mit der Sache beschäftigt, das Frappanteste an der

EU nicht etwa die Machtfülle, in der sie schwelgt, sondern die Feststellung, wie gering eigentlich ihre Entscheidungsmacht ist. Die EU bestimmt nicht die Höhe der Steuersätze, hat keinen Einfluss auf die medizinische Versorgung der Bevölkerung, das Rentensystem, die Arbeitslosenunterstützung, die Polizei oder die Streitkräfte der einzelnen Länder. Die Verträge über die Europäische Union gestehen ihr ein Gestaltungsrecht nur in grenzüberschreitenden Bereichen zu, und demgemäß sind die Hauptfelder die Regulierung und Koordinierung des Binnenmarktes, der Umweltschutz, die Bereitstellung von humanitärer Hilfe, die Anpassung der Zinssätze sowie die Koordination der Außen- und Verteidigungspolitik.[3]

Gewiss, die Europäische Kommission hat ein Vorschlagsrecht für gemeinschaftliche Rechtsakte, aber Beschlüsse werden im Ministerrat gefasst, dem Organ, in dem die einzelstaatlichen Interessen artikuliert, diskutiert und zur Geltung gebracht werden. Auf vielen Politikfeldern ist zudem für Beschlüsse mit Rechtskraft *Einstimmigkeit* Voraussetzung, sodass hier im Endeffekt jedes Land ein Vetorecht hat. In anderen Bereichen können Ratsentscheidungen per *Mehrheitsbeschluss* getroffen werden, in den seltensten Fällen allerdings mit *einfacher* Mehrheit, weit häufiger sind *qualifizierte* Mehrheiten von 75 Prozent der Stimmen oder mehr verlangt[4] – damit liegt die Schwelle so hoch wie in keinem anderen parlamentarischen System der Welt. Hinzu kommt, dass die Parlamente der 25 Mitgliedstaaten von ihrer Regierung Rechenschaft über ihr Abstimmungsverhalten in Brüssel fordern können und bei der Umsetzung von EU-Recht in nationales Recht bis zu einem gewissen Grad eigenes Ermessen ins Spiel bringen können. Und als ob das alles noch nicht genug wäre, gibt es auch noch ein direkt gewähltes Europäisches Parlament – das erste multinationale Parlament der Weltgeschichte –, das allen vom Rat per Mehrheitsentscheidung beschlossenen Gesetzen zustimmen muss.

Das Europäische Parlament verfügt außerdem über die Macht, eine Kommission aus dem Amt zu jagen oder ihren Amtsantritt durch ein Veto zu verhindern – was die Behauptung widerlegt, die Europäische Kommission sei niemandem gegenüber verantwortlich. Im Mai 1999 erzwang das Parlament den Rücktritt der in Miss- und Vetternwirtschaft verstrickten Mannschaft des Kommissionspräsidenten Jacques Santer, und im Oktober 2004 nötigte es den Kommissionspräsidenten Barroso zur Revision seiner Kandidatenliste für das Kommissarskollegium, weil der für den Posten des Justizkommissars vorgeschlagene Italiener Rocco Buttiglione ob seiner erzkonservativen Ansichten in Sachen Zuwanderung, Frauenrechte und sexueller Orientierung der Mehrheit des Parlaments als denkbar ungeeignet für das Amt erschien.[5]

In seiner berühmt gewordenen Ansprache auf dem Schlachtfeld von Gettysburg bezeichnete Abraham Lincoln die Demokratie als die »Regierung des Volkes, durch das Volk, für das Volk«. Das soll heißen, dass ein demokratisches System von den politisch Verantwortlichen Rechenschaft fordert und sicherstellt, dass die praktische Politik dem Willen des Volkes entspricht. An diesen zwei Kriterien gemessen gibt die EU kein schlechtes Bild ab. Keine Rede davon, dass hier die Demokratie mit der Abrissbirne traktiert würde, man arbeitet vielmehr an ihrer Runderneuerung, um in einer Welt, die im Zeichen der Globalisierung steht, die Position der Regierungen und der Bürger Europas zu stärken.

Wie die EU die Position der Regierungen stärkt

Philip Gould, Politikberater und einer der engsten Vertrauten Tony Blairs, sieht die Politik im Begriff, zu einem »menschenleeren Stadion« zu werden.[6] Die Politiker führen nach wie vor Wahlkämpfe, proklamieren Wahlprogramme und streiten sich in altbekannter Manier. Neu dabei ist, dass keiner mehr hinhört. Immer weniger Menschen gehen zur Wahl, die Mitgliederzahlen der politischen Parteien sinken, und das Vertrauen der Menschen in die Politiker und die politischen Institutionen ist auf einen gefährlichen Tiefstand abgesackt.

Aber *warum* ist das Stadion menschenleer? Liegt es daran, dass die Politiker heute ein unseriöseres und weniger engagiertes Bild abgeben als früher? Oder daran, dass die Bürger wohlhabender sind und sich nicht mehr auf die Politik angewiesen fühlen, was bestimmte Grundbedürfnisse wie Gesundheitsvorsorge, Nahrung, Arbeitsplatz angeht? Daran, dass die politischen Parteien sich abmühen, Bürger zu vertreten, deren Wahlverhalten keine Sache der Klassenzugehörigkeit mehr ist? Vielleicht spielen alle diese Faktoren mit hinein in die Problematik, aber die Meinungsumfragen deuten sämtlich auf den einen Sachverhalt hin: Die Menschen glauben nicht mehr daran, dass die Politik überhaupt noch nennenswerte Handlungsspielräume hat. Überall auf der Welt wenden sich die Wähler von der heimischen politischen Klasse ab, die ihnen machtlos erscheint. Deren Vertreter kommen ihnen wie Plastikenten auf kabbeligem Wasser vor, die vom globalen Kapitalismus und der amerikanischen Hegemonie auf und ab, hierhin und dorthin bewegt werden, um dann das Weltgeschehen für ihre Unfähigkeit, ihre Versprechungen zu erfüllen, verantwortlich zu machen.

Auch im europäischen Integrationsprozess will man eine Quelle dieser Problematik erkannt haben, denn transferiert er nicht Regierungsmacht von der einzelstaatlichen Ebene auf Institutionen im fernen Brüssel? Doch weit gefehlt: Das europäische Projekt ist keineswegs Teil dieser Problematik, sondern sogar der Ausweg aus ihr: Es wahrt den Ländern Kompetenzen, die längst auf die globale Ebene abgewandert wären, wenn es keine EU gäbe.

Sehen wir uns als Beleg dafür die Situation zweier nordeuropäischer Länder an. Norwegen und Irland haben jeweils um die vier Millionen Einwohner. Beide Länder exportieren Lachs, beide überwiegend in Länder der Europäischen Union. Irland ist EU-Mitglied, Norwegen nicht. Norwegen hat sich zwar zur Einhaltung von 80 Prozent der EU-Binnenmarktvorschriften verpflichtet, um sich 1994 dem Europäischen Wirtschaftsraum (EWR) anschließen zu können[7], hat aber in den Verwaltungsorganen des Binnenmarktes lediglich ein Mitsprache- und Anhörungsrecht, keine Entscheidungsgewalt; Irland hingegen konnte sich von Anfang an voll stimmberechtigt mit an den Tisch setzen. Für den Räucherlachs und sonstige Waren, die Norweger in EU-Länder verkaufen, müssen sie zwar keine Einfuhrzölle, aber die gesetzlichen Verbrauchssteuern zahlen; die Iren sind von solchen Belastungen nicht betroffen. Und wenn die Welthandelsorganisation Regeln für den Fischhandel auf dem Weltmarkt festsetzt, wird Irlands Sicht am Verhandlungstisch von EU-Handelskommissar Peter Mandelson vertreten und zwar mit der Verhandlungsposition des größten Binnenmarktes der Welt; dagegen steht hinter den Forderungen des norwegischen Handelsministers nur die Durchsetzungskraft von Platz 122 auf der Liste der größten Staaten der Welt. Wenn es um die Bekämpfung der Umweltverschmutzung, des organisierten Verbrechens und des Drogenstroms geht, kann Irland über die EU von Russland, Polen und den Balkanstaaten einschneidende Maßnahmen verlangen, während Norwegen in dieser Hinsicht bei seinen Nachbarn im Osten nur auf Entgegenkommen und die Wirkung des guten Beispiels setzen kann.[8]

Welches Land hat nun seine Angelegenheiten besser in der Hand? Die Iren haben Sitz und Stimme in den Organen der EU – eine Stimme mit Entscheidungsgewalt bis hin zum Veto –, sind aber an alle gemeinsam beschlossenen Entscheidungen gebunden. Die Norweger brauchen sich nicht an die Beschlüsse der EU zu halten, denn sie sind ja nicht Mitglied, aber wenn sie es nicht tun, verlieren sie den Zugang zu ihrem größten Absatzmarkt. Und weiter gefragt: Welches Land hat die stärkere Position bei Verhandlungen auf internationaler Ebene? Die Iren können ihre Sicht in EU-internen Diskussionen geltend machen und erreichen, dass sie in der Verhandlungsposition der Union berücksichtigt wird. Dabei müssen sie wohl meist in dem und jenem Punkt einen Kompromiss mit den anderen 24 Mitgliedern schließen. Aber nachdem sie sich mit ihren europäischen Partnern einig geworden sind, haben sie eine reale Chance, dass ihr Antrag verwirklicht wird. Die Norweger können sich unbeeinflusst von anderer Seite die für sie ideale Verhandlungsposition zurechtlegen und kompromisslos an ihr festhalten. Aber welche Chance hat das kleine Norwegen dann am Verhandlungstisch in Genf, sich gegen die Vereinigten Staaten, Japan, China, Indien oder die Europäische Union durchzusetzen?

Grundbedingung der Demokratie ist die Macht, das Wollen der Menschen in die Tat umzusetzen. Geht die Fähigkeit verloren, den Volkswillen und die Entscheidungen der Volksvertreter Wirklichkeit werden zu lassen, dann ist die Demokratie nur noch eine Farce.

In Norwegen hat man insofern den Anschein von Souveränität, als das Parlament *formaliter* die höchste Entscheidungsgewalt im Lande besitzt, aber die Realität sieht so aus, dass viele Politikfelder, über die im Parlament diskutiert wird, der Kontrolle der Volksvertretung längst entglitten sind. Das Parlament gleicht so gesehen Robinson Crusoe auf seiner einsamen Insel, von dem jemand einmal gesagt hat, er sei »Herrscher über alles, aber Herr von nichts«. Irland hat Teile seiner Souveränität in eine zwischen der Europäischen Union und ihren Mitgliedern geteilte Souveränität umgewandelt, die von beiden Seiten gemeinsam ausgeübt wird (»Pooling der Souveränität«), ist dafür aber in diesem Rahmen wieder Herr seines Schicksals geworden. Europäisches Recht geht vor einzelstaatliches Recht, aber dieses europäische Recht wird von irischen Ministern und irischen Mitgliedern des Europäischen Parlaments in Zusammenarbeit mit ihren europäischen Amtsgenossen und Mitabgeordneten gemacht.

Weil die Europäische Union die Stimmen einzelstaatlicher Regierungen auf internationaler Ebene zu Gehör bringt, rettet sie die einzelstaatlichen demokratischen Organe vor dem Schicksal, zu bloßen Quasselbuden zu verkommen, wo das Weltgeschehen nur beredet wird, während die Entscheidungen ganz woanders fallen. Für die kleinen europäischen Länder ist die EU der einzige Weg, auf dem sie ein gewisses Maß an Kontrolle über die globalen Märkte erlangen können. Und das wiederum bedeutet für die Nationalstaaten ein Mehr an Entscheidungsfreiheit in eigenen Angelegenheiten. Nicht-EU-Mitglieder müssen mit aller Kraft um Märkte für ihre Exportgüter kämpfen, hohe Zölle zahlen und zum Erzielen wettbewerbsfähiger Preise zu Hause die Ausgaben für Sozialleistungen und Arbeitsschutzmaßnahmen kürzen sowie die Steuersätze für Exportgüter senken.[9]

EU-Mitglieder haben zollfreien Zugang zu einem riesigen Markt und befinden sich gegenüber dem Rest der Handelswelt in einer starken Verhandlungsposition. Die wirklich wichtigen Entscheidungen überlässt die EU jedoch den nationalen Politikern. Sie setzen die Steuertarife fest. Sie gestalten ihre Haushalte. Sie befinden über das Ausmaß der Umverteilung von Einkommen. Indem die EU Wohlstand und politische Gestaltungsmöglichkeiten schafft, versetzt sie die Politiker – und die Bürger – in die Lage, selbst zu entscheiden, in welcher Art Land sie leben wollen.

Wie die EU die Position der Bürger stärkt

Das größte Geschenk, das die Europäische Union uns macht, ist die Wahlfreiheit: In welchem Land wir leben wollen, an welcher Universität wir studieren wollen, in welchem Beruf wir arbeiten wollen, und wo wir unsere Handelsware verkaufen wollen – über all das und noch viel mehr können wir frei entscheiden.

In den britischen Supermärkten sind die Regale zum Brechen voll mit ausländischer Frischware: italienischer Pasta, französischem Käse, griechischen Oliven, dänischem Schinken usw. usf. Es ist nicht einfach nur so, dass bei den Fertiggerichten die Spaghetti bolognese den Platz der Bohnen mit Würstchen eingenommen hätten, nein, in Europa können heute alle Verbraucher Spitzenerzeugnisse der europäischen Küche genießen, ohne horrende Preise dafür bezahlen zu müssen. Die EU-Freizügigkeit hat Millionen von Arbeitnehmern, Gewerbetreibenden wie auch Touristen neue Handlungsräume geöffnet. Eine ungewollt schwangere Schülerin aus Dublin kann jetzt problemlos nach London reisen, um dort die Abtreibung vornehmen zu lassen, die in ihrem Heimatland illegal ist. Ein aufstrebender Jungmanager aus Prag kann am renommierten INSEAD (Institut Européen d'Administration des Affaires) in Fontainebleau seinen MBA (Master of Business Administration) erwerben. Ein schwules Paar aus Budapest kann in Kopenhagen heiraten. Eine Rentnerin aus Essex kann ihren Lebensabend unter der Sonne der Costa Blanca verbringen.

Seit die Europäer überall in Europa auf das Beste, was Europa zu bieten hat, zugreifen können, sind die Fragen, die sie an ihre Regierungen richten, aggressiver, bohrender geworden. Die Medien haben ihre Aufmerksamkeit bisher so stark auf die genaue Verteilung der Macht unter den Brüsseler Institutionen konzentriert, dass ihnen die Revolutionierung der politischen Debatten, die das europäische Projekt in den einzelnen EU-Ländern bewirkt hat, ganz entgangen ist.[10]

Erst im September 2000 wurde europaweit augenfällig, wie eifrig die Bürger Europas die Politik ihrer eigenen Regierung mit der in anderen europäischen Ländern vergleichen. Damals erzwangen über die hohen Treibstoffpreise erboste französische Spediteure mit Straßenblockaden von der Regierung Jospin eine 15-prozentige Ermäßigung der Kraftstoffsteuer. Innerhalb von Tagen hatten die französischen Trucker quer durch Europa Nachahmer gefunden. In den Niederlanden brachten Lkw-Fahrer rund um Amsterdam und Rotterdam den Verkehr zum Erliegen. In Deutschland sperrten über 200 Lkw, Busse und Taxis einen Grenzübergang nach Frankreich. Belgische Trucker und Taxifahrer setzten die Reihe der Protestaktionen mit Straßensperren im Zentrum der Hauptstadt und in den südlich von Brüssel gelegenen Städten Charleroi und Nivelles fort. Die Ausläufer der Protestwelle reichten bis nach Irland und Spanien; auf der britischen Hauptinsel blockierten aufgebrachte Bauern fast drei Viertel der 13 000 Tankstellen.

Die Existenz der EU hat zur Folge, dass die Staatsregierungen ihren Bürgern in ganz neuer Weise Rechenschaft ablegen müssen: Sie werden nun an den Leistungen der Regierungen von Partnerstaaten gemessen. Tagtäglich haben britische Steuerzahler aus euroskeptischen Zeitungen wie der *Daily Mail* erfahren, dass ihre Steuerlast über dem europäischen Durchschnitt liegt. In zunehmendem Maß wird das Verhältnis zu diesem »europäischen Durchschnitt« für die Regierungen zu dem Prüfstein, an dem sie in den Augen ihrer Bürger ihr Können erweisen müssen, und das wiederum zwingt ihnen einen Wettbewerb auf, was die Verbesserung ihrer Dienstleistungen anbelangt.

Nachdem die OECD-Studie PISA an den Tag gebracht hatte, dass die deutschen Schulen im internationalen Vergleich versagen – in der Disziplin Lesen belegten die deutschen Schüler unter den 15 EU-Staaten gerade mal Platz 13 –, kam die Regierung der Bundesrepublik Deutschland nicht darum herum, ein Investitionsprogramm im Gesamtumfang von vier Milliarden Euro zur Förderung der Ganztagsschulen aufzulegen. In Großbritannien hat Tony Blair sich das Ziel gesetzt, die Staatsausgaben für das Gesundheitswesen noch vor 2005 auf den EU-Durchschnitt anzuheben, und die Liberaldemokraten verabschiedeten auf ihrem Parteitag in Bournemouth sogar den Programmpunkt, sämtliche öffentliche Dienstleistungen in Großbritannien auf EU-Durchschnittsniveau zu bringen. In Frankreich hat Präsident Jacques Chirac gelobt, den Unternehmenssteuersatz binnen fünf Jahren auf »*la moyenne Européenne*« (den europäischen Durchschnitt) abzusenken.

Im März 2000 entschlossen sich die Staats- und Regierungschefs der EU bei dem Lissabon-Gipfel, zur Steigerung des Leistungsdrucks in den EU-Staaten vergleichende Statistiken zu nutzen. Im Protokoll schlug sich dieser Entschluss folgendermaßen nieder: »Die Union hat sich heute ein neues strategisches Ziel für das kommende Jahrzehnt gesetzt: das Ziel, die Union zum wettbewerbsfähigsten und dynamischsten wissensbasierten Wirtschaftsraum der Welt zu machen – einem Wirtschaftsraum, der fähig ist, ein dauerhaftes Wirtschaftswachstum mit mehr und besseren Arbeitsplätzen und einem verbesserten sozialen Netz zu erzielen.« Das wurde für die Bereiche Erwerbstätigkeit, Innovation, Wirtschaftsreform und soziale Sicherung in quantitative Ziele umformuliert. Die Europäische Kommission überwacht die Umsetzung durch die einzelnen Regierungen, so können Trödler erkannt und zur Ordnung gerufen werden und die Erfolgreichen den anderen als Vorbild dienen.

Bisher hielt sich zwar der Erfolg in Grenzen, aber die Tatsache, dass die Menschen gelernt haben, die Politik ihres Landes in einem größeren Zusammenhang zu sehen, hat in Europa bereits für einen echten Wettbewerb der politischen Strategien gesorgt. Der »europäische Durchschnitt« kann für die Bürger eine gewaltige Stärkung ihrer Position bedeuten. Die europäische Integration wird sich Schritt für Schritt zur Suche nach den besten politischen Strategien wandeln: jenen, die uns die besten Krankenhäuser, die besten Schulen, die besten Methoden der Verbrechensbekämpfung bringen.

Der Ausweg aus der Falle des Demokratiedefizits

Die Europäische Union ist ein Labor für die Runderneuerung der Demokratie.[11] Es ist noch manches zu tun, damit ein »öffentlicher Raum« für die Erörterung und Lösung drängender Probleme entsteht, in dem sich politische Mehrheiten formieren und auf europäischer Ebene erarbeitete Lösungen die EU-Bürger motivieren können. Die derzeitige europäische Regierungsform ist zwar durchaus verbesserungsbedürftig, aber trotzdem das spannendste Experiment der Welt in Sachen Demokratie.

Das Problem ist, dass die demokratische Revolution in Europa von den Bürgern vielfach gar nicht richtig wahrgenommen wurde. In allen Mitgliedstaaten geht die Befürwortung der Union zurück, und bei den seltenen Gelegenheiten, wo die Bürger gefragt wurden, ob sie für den Integrationsprozess sind, haben viele mit nein, *nej* oder *non* geantwortet. Das 1991 nur knapp am Scheitern vorbeigeschrammte französische Referendum zum Maastricht-Vertrag, die *Nejs* der Dänen 1991 und 2000, das *No* der Iren 2002 und das Abwinken der Schweden 2003 haben einen tiefschwarzen Schatten auf das europäische Projekt geworfen.

Aufgeschreckt durch die fallenden Popularitätswerte der EU, beschlossen die Staats- und Regierungschefs, einen »Verfassungskonvent« einzuberufen, der klären sollte, wie das geeinte Europa demokratischer, transparenter und bürgernäher zu gestalten wäre. Der Europäische Konvent, der sich unter dem Vorsitz des ehemaligen französischen Staatspräsidenten Valéry Giscard d'Estaing am 28. Februar 2002 in Brüssel konstituierte, nahm sich selbstbewusst den Verfassungskonvent zum Vorbild, zu dem die 55 Delegierten der amerikanischen Staaten (unter ihnen James Madison, Benjamin Franklin und, als Vorsitzender, George Washington) im Mai 1787 im Staatshaus zu Philadelphia zusammengetreten waren, um eine modernisierte amerikanische Verfassung auszuarbeiten, die einen vom Volk direkt gewählten Präsidenten, ein parlamentarisches Zweikammersystem (Senat und Repräsentantenhaus), einen Obersten Gerichtshof und eine klare Gewaltenteilung vorsieht.[12] Die Lösungen, mit denen die europäischen Verfassungsarchitekten aufwarteten, unterschieden sich jedoch sehr von denen der amerikanischen »Gründerväter«.

Viele Vorschläge des Europäischen Konvents sollen dazu beitragen, dass die Arbeit der EU-Organe transparenter und effizienter wird. Der Verfassungsvertrag sieht vor, dass die Gesetzgebung des Europäischen Rats in öffentlicher Sitzung erfolgt; dieser Artikel macht die Entscheidungsfindung auf der EU-Regierungsebene für die Allgemeinheit transparent. Die Präsenz der EU auf der internationalen Szene wird durch den neu geschaffenen Posten eines europäischen Außenministers wirksam verstärkt. Die vorgeschlagene Regelung, dass das gemeinsame Votum eines Drittels aller einzelstaatlichen Parlamente genügt, um jedweden Kommissionsvorschlag zu Makulatur zu machen, setzt der Integration Grenzen. Das Frappanteste von allem ist, dass der Verfassungsvorschlag ein Element direkter Demokratie enthält: Erstmals wird es möglich sein, der Kommission auf dem Petitionsweg die Pflicht, initiativ zu werden, aufzuerlegen; Bedingung dafür ist, dass mindestens eine Million Bürger diesen Antrag mit ihrer Unterschrift bekräftigen.

Noch interessanter ist freilich, was der Konvent *nicht* vorschlug. Nach 16-monatigem Beratschlagen, 26 jeweils 2-tägigen Plenarsitzungen, Dutzenden von Arbeitsgruppensitzungen, 1800 Reden, 1500 schriftlichen Eingaben, 6000 Änderungsanträgen und einem Kostenaufwand von insgesamt 21 Millionen Euro[13] lag ein Verfassungsvorschlag vor, der das amerikanische Modell explizit ablehnte. Viele Beobachter hatten zuvor die Ansicht geäußert, das geeinte Europa werde als Präsidial- oder parlamentarisches System nach nationalstaatlichem Muster am besten fahren – und damit bewiesen, dass sie einfach nicht begriffen haben, was die Europäische Union eigentlich ist und was sie soll.

Dass die Menschen bei den Wahlen zum Europäischen Parlament nicht in Scharen zu den Urnen strömen, liegt nicht etwa daran, dass dieses Parlament eine machtlose Institution wäre. Der Grund ist vielmehr der, dass von den als spezielle Tätigkeitsfelder der EU-Organe ausgewiesenen Politikbereichen – Liberalisierung des Handels, Währungspolitik, Beseitigung von außertariflichen Handelsbarrieren (also solchen, die nicht in Zollschranken bestehen), Ausgabe von Richtlinien für den Umweltschutz und auf anderen Gebieten, humanitäre Hilfe und Koordination der gemeinschaftlichen Außenpolitik –, dass also von den genannten Politikfeldern kein einziges zu den Dingen zählt, die das Wahlvolk interessieren.[14] Tatsächlich wird den politisch Handelnden auf keinem der fünf aus Wählersicht wichtigsten Felder – Gesundheitswesen, Bildungswesen, innere Sicherheit, Renten und Sozialleistungen, Steuern – der Kurs von der EU vorgegeben. Angesichts eines vornehmlich mit organisatorisch-technischen Fragen befassten Behördenapparats, der kaum Einfluss auf die öffentlichen Dienstleistungen hätte, die den Europäern besonders am Herzen liegen, kann man getrost davon ausgehen, dass die Idee eines vom Volk direkt gewählten Präsidenten die Europäer ebenso wenig vom Hocker reißen würde wie die eines von der europäischen Regierung und dem Europäischen Parlament eingesetzten Verwalters dieses Amtes.

Und selbst angenommen, die Menschen ließen sich für die Einführung von Präsidentenamt und Präsidentenwahl gewinnen, käme letzten Endes dabei ein Desaster heraus. Es wird in der EU niemals eine Zentralfigur oder ein Zentralorgan, keinen Präsidenten und kein Parlament, geben, die alleinverantwortlich über die europäische Agenda entscheiden und sie vorantreiben, denn in keinem europäischen Staat würden die Bürger es hinnehmen, dass ihre Regierung von einem Europäischen Präsidenten oder einem Europäischen Parlament »herumkommandiert« wird. Die Stärke des »Netzwerks Europa« liegt darin, dass die verschiedenen Mitgliedstaaten zwar einzelnen Problemen und Angelegenheiten unterschiedliche Bedeutung beimessen, dass aber keiner, und sei er noch so mächtig, die Position eines anderen einfach übergehen kann. Für Regierungen und Bevölkerung der Mitgliedsländer ist eben dies die Basis für die Akzeptanz der EU geworden. Die nicht sonderlich robuste Legitimation der EU würde zu Bruch gehen, wenn einzelne Länder sich permanent übergangen fühlten – so wie viele Schotten an der Existenzberechtigung eines Vereinigten Königreichs zu zweifeln begannen, in dem anscheinend auf ewig nur die Konservativen an der Regierung sein würden, obwohl die Schotten in Massen Labour wählten.

Der Konvent hatte begriffen, dass man mit dem simplen Kopieren der amerikanischen Verfassung – (etwa indem man das Amt eines direkt gewählten Kommissionspräsidenten schüfe oder dem Europäischen Parlament die Befugnis zur Einsetzung von Exekutivorganen oder zu Gesetzesinitiativen verliehe) – alles zerstören würde, worauf die Funktionsfähigkeit der EU beruht: deren Offenheit für jede von neuen Problemstellungen verlangte Entwicklung; die Streuung der Machtzentren, die dafür sorgt, dass die Interessen jedes Mitglieds zur Geltung kommen; die Achtung des demokratischen Systems und der historisch gewachsenen Identität jedes Einzelstaats.

Die europäische Verfassung hat keine poetischen Qualitäten. Ihr eignet nichts von der Dramatik der amerikanischen Verfassung, denn sie will nicht die Gründungsurkunde eines Nationalstaats sein. Doch sind in ihr die Grundprinzipien des »Netzwerks Europa« niedergelegt, dem es nun anheimgestellt ist, sein beispielloses Experiment einer Runderneuerung der Demokratie fortzusetzen, um sie auf diesem Weg fit für das Zeitalter der Globalisierung zu machen. Die Ablehnung des Entwurfs durch Franzosen und Niederländer birgt die Chance, weitere Neuerungen und Verbesserungen einzuarbeiten.

KAPITEL 8
Ein Europa der 50

Den enormen Nachruhm, dessen sich der französische Historiker und Politiker Alexis de Tocqueville (1805–1859) in der Geisteswelt bis auf den heutigen Tag erfreut, begründet seine 1835–1840 veröffentlichte hellsichtige Analyse der jungen amerikanischen Demokratie, Ausbeute einer 1831/32 unternommenen einjährigen Reise durch die USA. Doch gibt es noch andere beachtenswerte Schriften des Autors, so eine Warnung vor den Gefahren des Imperialismus, die Tocqueville im Jahr 1837 in Form eines fiktiven Briefes an einen Freund aussprach: »Gesetzt den Fall, Monsieur, der Kaiser von China landet an der Spitze eines gewaltigen Kriegsheeres an der französischen Küste und nimmt unsere größten Städte mitsamt der Hauptstadt ein. Und nachdem er unsere sämtlichen amtlichen Registraturen und Archive zerstört hat, ohne sich erst die Mühe gemacht zu haben, sie durchzusehen, und sämtliche Verwaltungsbehörden zerschlagen oder aufgelöst hat, ohne nach ihrem Sinn und Zweck gefragt zu haben, entledigt er sich zuletzt aller Staatsbediensteten vom Regierungschef bis zu den Feldhütern.«[1] Unter diesen Umständen, so Tocqueville, helfen weder eine gewaltige Streitmacht noch Festungsanlagen noch immenser Reichtum, ein Land zu regieren, dessen Bewohner eine andere Religion, eine andere Sprache und eine andere Rechtstradition als die Fremdherrscher haben. Am Ende entsteht eine Gemengelage aus militärischer Besatzung in Teilgebieten und Anarchie im Rest des Landes: »Sie werden gleich sehen, Monsieur, dass wir Franzosen es in Algerien exakt so gemacht haben wie mein hypothetischer Kaiser von China in Frankreich.«

Einhundertsiebzig Jahre nach der Abfassung des ›Briefes über

Algerien‹ schmachtet das Land immer noch in der Hölle, die Tocquevilles Flugschrift schildert: Es ist nicht in der Lage, die aus der Kolonialzeit ererbte autoritäre Regierungsform abzuschütteln, und aus Furcht, Islamisten könnten an die Macht kommen, lassen die derzeitigen Machthaber im Lande nicht einmal versuchsweise Selbstverwaltung zu. Mit stillschweigender Zustimmung der ehemaligen Kolonialmacht bleibt Algerien weiterhin von dem Krebsgeschwür autoritärer Herrschaft entstellt. Und was für Algerien gilt, gilt auch für viele neue Nachbarn der EU im Süden und im Osten. In Nordafrika und im Nahen Osten halten sich mit westlicher Unterstützung halbautoritäre Regime am Ruder, während die lokalen Autokraten in ehemaligen Sowjetrepubliken wie Weißrussland und Moldawien auf die Unterstützung ihrer einstigen Vormünder in Moskau zählen können, wenn sie ethnische Streitigkeiten mit eiserner Rute unter Kontrolle bringen.

Für das europäische Projekt ist nun der Augenblick der Wahrheit gekommen: Kann es auf seine neuen Nachbarn die gleiche umgestaltende Wirkung ausüben, die es auf Mitteleuropa und ansatzweise die Türkei ausgeübt hat? Kann es aus der EU der 25 Mitgliedstaaten eine Gemeinschaft von 50 Demokratien machen, die wiederum umgestaltend auf ihre Nachbarn wirkt?

Den Albtraum, den Tocqueville in seinem ›Zweiten Brief über Algerien‹ schilderte, durchleben Großbritannien und Amerika heute unter veränderten Bedingungen im Irak. Sie versuchen das Land in eine lebensfähige Demokratie zu verwandeln, aber da sie alle Strukturen niedergerissen und aufgelöst und weggefegt haben, müssen sie alles neu aufbauen und dabei mit allem bei null anfangen, das geht von der Elektrizitäts- und der Wasserversorgung bis zur Polizei und zu den Postleitzahlen, von den Ministerien bis zu den Abfalltonnen für die Müllabfuhr. Das ist die schwere Art des Demokratieaufbaus: das Pferd beim Schwanz aufzäumen, die lokalen Systeme durch importierte ersetzen, alles besetzen und überwachen müssen, damit das Ganze nicht im Chaos versinkt. In einem einzigen Jahr geben die USA für den Wiederaufbau eines Landes mit 20 Millionen Einwohnern mehr aus, als die Europäische Union in einem Jahrzehnt für die Demokratisierung des ehemaligen Ostblocks aufgewendet hat.[2]

Der Unterschied ist klar: Die europäische Demokratievorstellung kam nicht in gepanzerten Wagen aus dem Westen. Es ist ein Ideal, das die Menschen dazu anregt, sich von innen heraus zu ändern. Aber kann Europa das nochmal schaffen?

Das brennende Verlangen nach anderen Verhältnissen

Auf dem Blumenmarkt in der Innenstadt von Tiflis (Tbilisi) boomt das Geschäft mit Rosen. Die Rose ist zum Symbol der Revolution geworden, die im November 2003 über Georgien hinwegflutete. Die Demonstranten, die damals gegen eine manipulierte Wahl protestierten, brachten keinem einzigen Menschen eine Verletzung bei – sie hatten sich nicht mit Schusswaffen oder Molotowcocktails, sondern mit roten Rosen bewaffnet. Als sie sich vor dem Parlamentsgebäude versammelten, ließ Staatspräsident Eduard Schewardnadse etliche Hundertschaften Soldaten ausrücken. Doch als die protestierenden Studenten den Soldaten Rosen zu überreichen begannen, legten viele von ihnen ihre Gewehre nieder. Der Anführer der »Rosenrevolution« (auch »samtene Revolution« genannt), der in den USA ausgebildete 35-jährige Michail Saakaschwili, reichte mit dem Ruf »Tritt zurück!« dem Staatspräsidenten, der sich das Verbleiben im Amt mittels Wahlbetrug hatte sichern wollen, eine Rose. Anfang Januar des folgenden Jahres wurde Saakaschwili mit 97 Prozent der Stimmen zum neuen Staatspräsidenten gewählt.[3] Dem georgischen Volk versprach er, das Land in den europäischen Mainstream einzugliedern: »Die neuen EU-Mitglieder haben sehr deutlich zu verstehen gegeben, dass hinter ihnen nicht die Tür verriegelt wird. Wir haben Fortschritte gemacht, und wir arbeiten Tag für Tag weiter daran. Wir haben uns dieses Ziel gesetzt, koste es, was es wolle. Die EU sollte sich schon mal auf uns freuen und uns erwarten.«[4] Die demonstrierenden Georgier hatten nahe und ferne Zuschauer gehabt. Ein Jahr später starteten die Ukrainer unter ähnlichen Bedingungen ihre »Orangene Revolution«; ihr Anführer, der Reformer Wiktor Juschtschenko machte das Versprechen einer Annäherung der Ukraine an Europa zur Basis seiner Kampagne. Aber die Ereignisse von Tiflis erweckten in noch weiterer Ferne ein Echo.

In der ganzen arabischen Welt waren die Medien vor Neid in Aufregung. Sahar Ba'asiri, eine Kolumnistin der libanesischen Tageszeitung *Al-Nahar*, forderte ihre Landsleute auf, ihre Aufmerksamkeit auf die Vorgänge in Tiflis zu richten: »Als ich im Fernsehen die ›Rosenrevolution‹ in Georgien sah, wurde ich neidisch ... Die Menschenmenge, die dort [vor dem Parlamentsgebäude] zusammenströmte, um ihren Willen durchzusetzen, erfüllte mich mit Wehmut – es war, als ob sie und wir Araber auf verschiedenen Planeten lebten und als ob auf *unserem* Planeten niemand eine Ahnung von der Bedeutung des Volkswillens hätte.«[5] Und in der in den Vereinigten Arabischen Emiraten erscheinenden Tageszeitung *Al-Khaleej* kritisierte Sa'ad Mahyew die arabischen Eliten mit den Worten: »Warum erleben wir in der arabischen Welt nicht ähnliche Revolutionen? Warum verharrt da alles in tiefer Lethargie, während die Völker der Welt – die afrikanischen nicht ausgenommen – seit 1989 zum Rhythmus einer echten allgemeinen Revolution tanzen, die [die Welt] in die Mühlen der Demokratie fegt? Warum sind in der arabischen Welt noch keine freiheitlichen und demokratischen Bewegungen aufgekommen, die den Arabern eine Alternative zu dem vorhandenen Sortiment von despotischen und autoritären Regimen anbieten?«[6]

Das große Problem: Wie lässt sich das Verlangen der Menschen nach der Systemveränderung in reale Reformen umsetzen? Eine dahingehende Beeinflussung von außen ist nur in begrenztem Umfang möglich. Mit ihrer »Partnerschaftsinitiative Naher Osten«, die Reformwillen mit direkter finanzieller Hilfe sowie Geschäftsabschlüssen belohnen sollte, ernteten die USA vernichtende Kommentare. In einem Ja zur Demokratie, Nein zu den USA betitelten Artikel in der oppositionellen ägyptischen Tageszeitung *Al-Ahali* schrieb ein Kolumnist namens Hussein Abd Al-Razaq: »Das Geschwätz der amerikanischen Regierung von Demokratie ist ein Täuschungsmanöver, auf das niemand hereinfällt. Oder waren es vielleicht nicht die USA, die in Chile die demokratische Regierung Allende stürzten und an deren Stelle die Pinochet-Diktatur installierten? Heute versuchen sie, in Venezuela die vom Volk gewählte Chavez-Regierung zu Fall zu bringen. Alle Welt weiß, dass die USA mit den despotischen Regimen in der arabischen Welt verbündet sind.«[7] Die Vorbehalte gegen die USA sind so groß, dass die Amerikaner selbst mit einer Politik, die von den Arabern der Region eigentlich begrüßt werden müsste, bei diesen auf eine Mauer des Misstrauens stoßen. In einem Artikel in der ägyptischen Zeitung *Al-Ahram* stand, dass die von US-Fliegern als humanitäre Hilfe über afghanischem Territorium abgeworfenen Esswaren in dicht vermintem Gelände gelandet seien und deshalb die hungernden Menschen, denen geholfen werden sollte, in Lebensgefahr gebracht hätten; außerdem gebe es Berichte, denen zufolge bei dieser Gelegenheit genmanipulierte Lebensmittel verwendet wurden, um afghanische Menschen gesundheitlich zu schädigen.[8]

Die Europäer sind im Nahen Osten zweifellos besser angeschrieben als die Amerikaner. Sie haben aus schlechten Erfahrungen in früheren Zeiten gelernt, und das hat sie vor der Unklugheit bewahrt, die Ziele, die sie in der Region verfolgen, als Teil einer »zivilisatorischen Mission« darzustellen. Und Jacques Chiracs Widerstand gegen den Irakkrieg hat dem französischen Staatspräsidenten bei einer Meinungsumfrage nach der populärsten politischen Führungsgestalt in der arabischen Welt Platz zwei direkt hinter Osama bin Laden eingebracht. Aber noch wichtiger als die Person des Boten ist die Botschaft selbst. Der große Vorzug der europäischen Vorgehensweise liegt darin, dass sie sich glaubhaft als ein Eingehen auf die Bedürfnislage vor Ort darstellen kann. Und das kann die Europäische Union deshalb, weil sie sich nicht in den Chor der Staaten einreiht, die die Araber oder die Osteuropäer mit guten Ratschlägen, wie sie ihren Laden schmeißen müssen, abspeisen: Die EU ist ein Verein, der einerseits seine Statuten hat, an die sich jeder halten muss, der in gutem Kontakt zu ihm stehen will, was ihm dann andererseits aber auch handfeste Vorteile bringt. Indem die EU ihre Außenbeziehungen als ein gutnachbarliches Verhältnis aufzieht, das die Einhaltung bestimmter Regeln impliziert, schafft sie Reformanreize, ohne andere zu bevormunden.

Die Tür bleibt offen

Je näher der Augenblick der Wahrheit rückt, desto stärker sträuben sich viele dagegen, dass die EU ihrer Bestimmung folgt. Gerade noch haben sie die Türkei als »Modellfall« für den Nahen Osten hingestellt, schon schließen sie genau das ausdrücklich aus, was den Wandel in der Türkei überhaupt erst in Gang gebracht hat: die Möglichkeit, als Vollmitglied in den europäischen Verein aufgenommen zu werden.

Die Liste der prospektiven EU-Mitglieder ist lang. Rumänien und Bulgarien können im Januar 2007 – allerdings unter strengen Auflagen – der Gemeinschaft beitreten; mit Kroatien sind schwierige Beitrittsverhandlungen im Gang. Die Beitrittsgespräche mit der Türkei wurden im Oktober 2005 offiziell aufgenommen. Weitere Westbalkanstaaten sowie die Ukraine und Georgien haben ihre Absicht, einen Beitrittsantrag zu stellen, kundgetan. Marokko hat bereits zweimal Interesse an der EU-Mitgliedschaft bekundet. Der damalige italienische Ministerpräsident Silvio Berlusconi hatte sich schon vor seiner Ratspräsidentschaft in der zweiten Jahreshälfte 2003 mehrfach für eine EU-Mitgliedschaft Russlands ausgesprochen. In den Jahren 2001 und 2002 diskutierten politische Kreise in Israel die Frage, ob die EU den »Anker« abgeben könnte für irgendwelche Schritte der Staatsregierung in Richtung einer Lösung des Israel-Palästina-Konflikts auf dem

Wege von Verhandlungen über ein Nebeneinander zweier Staaten.

Die Europäer reagierten allerdings zögerlich – und das ist noch milde ausgedrückt. Der frühere Kommissionspräsident Romano Prodi meinte, die Wahrscheinlichkeit eines EU-Beitritts der Ukraine entspreche etwa der eines Beitritts Neuseelands. Als Marokko 1987 Interesse am Beitritt zur Europäischen Union bekundete, zeigte man umgehend die kalte Schulter: Das Land gehöre ja geographisch gar nicht zu Europa. Getroffen durch diese Abfuhr, klagte König Hassan II. 1994: »[Die Europäer] suchen nach Verbündeten weiter im Osten, weil die Menschen dort weißer Hautfarbe sind ... alle sind eine einzige große Familie. Und dann schauen sie über das Mittelmeer und sagen: Ach ja, richtig, da sind ja auch noch diese armen kleinen Leute, die wir mal kolonialisiert haben.«[9] In der EU hat man naturgemäß alle Hände voll damit zu tun, die jüngste Beitrittswelle zu verkraften und sich nebenher auf Fortführung der Gespräche mit der Türkei zu konzentrieren; das nimmt so breiten Raum auf der Agenda ein, dass der Gedanke an einen neuerlichen »Urknall« keine große Freude auszulösen vermag.

Aber wie wir in der ersten Hälfte der 1990er-Jahre auf dem Balkan gelernt haben, ist die Sicherheit Europas nicht durch die Installation eines neuen Eisernen Vorhangs zu gewährleisten.[10] Wir haben die Wahl, entweder uns jetzt gleich unseren Nachbarn zuzuwenden und ihnen Anreize zu Änderungen zu geben – oder uns zu einem späteren Zeitpunkt den möglicherweise bedrohlichen Folgen ihres Absturzes ins Chaos zu stellen, was uns viel teurer zu stehen kommen dürfte. Jede neue Erweiterungswelle bringt eine Neuauflage dieser Herausforderung mit sich, denn kein Land möchte mit dem Chaos benachbart sein. So wie die Deutschen Polen mit im Boot haben wollten, um im Nachbarland stabile Verhältnisse zu haben, möchten die Polen jetzt die Ukraine in die Gemeinschaft integriert sehen. Und sind dann die Ukrainer beigetreten, haben die wiederum Weißrussland im Schlepptau.

Ist es nicht moralisch unverantwortlich und obendrein auch

noch kontraproduktiv, in Bezug auf die Beitrittsmöglichkeit falsche Erwartungen zu wecken? Die Frage wurde aus gegebenem Anlass öffentlich diskutiert: Nachdem Frankreich und Deutschland Polen den Beitritt für das Jahr 2000 in Aussicht gestellt hatten, entstand bei den Polen der Eindruck, dass die EU ihr Anliegen verschleppe, weil die Wartezeit sich dann doch bis zum 1. Mai 2004 hinzog. Und die Türken zweifeln an der Ehrlichkeit von Willenserklärungen der EU, weil sie bemerkt haben, dass die europäischen Regierungschefs vor türkischem Publikum anders reden als vor ihren Wählern zu Hause.

Unerfüllbare Erwartungen zu wecken ist bedenklich, aber noch bedenklicher ist es, eine Mitgliedschaft kategorisch auszuschließen. Solange noch Hoffnung auf den Beitritt besteht und der Weg, der zu ihm führt, klar vorgezeichnet ist, solange besteht auch der Anreiz zu Veränderungen. Man hat schon öfter versucht, Grenzen für die Ausdehnung der Union zu definieren, doch die Frage einer Mitgliedschaft beantwortet sich im Einzelfall ganz von selbst aus der Sachlage. Im Jahr 1989 schwankte man zwischen zwei Optionen für die Zukunft: Sollte man die EU erweitern oder nicht doch lieber erst einmal die Interdependenz zwischen den vorhandenen Mitgliedstaaten weiter vertiefen? Könnte die Union die Aufnahme der armen Länder Mittel- und Osteuropas überhaupt verkraften? Aber als diese Länder sich bereit erklärt hatten, die Regeln der Gemeinschaft zu übernehmen, war es moralisch einfach nicht mehr vertretbar, sie auszusperren.

Wesentlich ist, die Mitgliedschaft nicht *anzubieten* – so wie die Dinge bei vielen neuen Nachbarn der Union derzeit noch liegen, wäre das ziemlich realitätsfremd –, aber in keinem Fall sollten wir die Möglichkeit des Beitritts *prinzipiell* ausschließen. Hinsichtlich der künftigen Grenzen der EU sollten wir uns mit einem eher unscharfen Bild begnügen, glasklar muss jedoch unsere Vorstellung von den Bedingungen sein, die Staaten, die eine Zusammenarbeit anstreben, erfüllen müssen. Einerlei ob sie als Vollmitglied aufgenommen werden möchten oder lediglich an einer Freihandelszone rund um das Mittelmeer partizipieren wollen: Wir müssen ihnen klarmachen, dass die Europäische Union denjenigen Ländern enorme Anreize bietet, die sich mit großem Einsatz und dann auch mit Erfolg um Rechtsstaatlichkeit bemühen, die Menschenrechte achten und den Acquis communautaire übernehmen. Nur so lässt sich der irritierende Effekt des Spannungsfelds unserer nachbarschaftlichen Beziehungen ins Positive verkehren. Es darf nicht sein, dass wir unsere politischen Grundwerte und Grundsätze den anderen von außen aufdrängen, sondern sie müssen von sich aus auf uns zukommen mit der Bitte, uns mit ihren Belangen zu befassen.

Der Ring von Freunden

Romano Prodi sagte gegen Ende seiner Amtsperiode als Präsident der Europäischen Kommission im Hinblick auf die östlichen und südlichen Nachbarn der EU, Ziel der Union müsse es sein, »eine Zone des Wohlstands und der guten Nachbarschaft – einen Ring von Freunden – zu schaffen, mit dem die EU enge, friedliche und kooperative Beziehungen unterhält«.[11] Diese Länder sollten in den Genuss einer weitgehenden wirtschaftlichen Integration mit der EU kommen, sodass sie mit den EU-Staaten so gut wie alles gemeinsam haben würden außer den Institutionen. In dem einschlägigen Strategiepapier der Europäischen Kommission sind fünfzehn Anreize aufgezählt, die vom »intensiveren und offeneren politischen Dialog« über die Aussicht auf einen »Verbund der Verkehrs-, Energie- und Telekommunikationsnetze« bis zu »intensiveren und gezielteren Finanzhilfen« reichen.

Mit fünf Ländern hatte die Kommission bereits detaillierte »Aktionspläne« ausgehandelt, in denen 200 konkrete politische, wirtschaftliche und institutionelle Reformen aufgezählt waren, die ausgeführt sein müssen, damit die Gegenleistungen der EU erfolgen.[12] Das Wesentliche dabei: Diese Vereinbarungen sind nicht einfach nur mit Staatsregierungen getroffen worden (es wäre wohl illusorisch, allzu große Hoffnungen auf die Demokratiebegeisterung von Staatschefs wie Hosni Mubarak in Ägypten, Zine el-Abidine Ben Ali in Tunesien oder Bashir Assad in Syrien zu setzen. Zu den Bedingungen dieser Partnerschafts- und Kooperationsabkommen zählt auch, dass sie in Absprache mit lokalen Bürgervertretungen ausgearbeitet werden. Mit dem Abschluss eines solchen Abkommens erwerben die Staaten jeweils die Anwartschaft auf eine »politische Prämie« (fünf Prozent der Mittel des Hilfsprogramms der Gemeinschaft für die Mittelmeerländer – »MEDA-Programm« – sind unter der Hand für diesen Zweck reserviert).[13]

Der »Neue Rahmen« ist eine aufregende Initiative, denn er könnte zum Motor eines Reformprozesses in der näheren Umgebung der EU werden. Aber wenn in diesem Zusammenhang auch noch so viel von Partnerschaft die Rede ist, das Angebot läuft auf eine Abhängigkeitsbeziehung hinaus. Es besteht die Gefahr, dass es nicht als Anfang des Wegs zur Vollmitgliedschaft, sondern als Trostpflaster für deren Verweigerung aufgefasst wird. Wenn die EU in ihrer Nachbarschaft wirklich Veränderungen bewirken will, sollten die Verantwortlichen darüber nachdenken, ob nicht einiges dafür spricht, mittelfristig eine neue politische Gemeinschaft zu schaffen, bei deren Administration diese Länder mitzureden hätten: eine Euro-mediterrane Freihandelszone – und zwar eine von vornherein als Durchgangsstation zur Vollmitgliedschaft konzipierte.

Das größere Europa

Viele sind der Ansicht, dass die Europäische Union 50 Mitglieder organisatorisch und administrativ nicht verkraften würde; dass eine Erweiterung über die derzeitige Mitgliederzahl von 25 hinaus hieße, den Bogen zu überspannen, und zur Selbstblockade führen würde. Doch die EU ist ein dynamisches politisches System und hat schon längst begonnen, sich mit der in Vielfalt und kontinentweiter Ausdehnung liegenden Herausforderung auseinanderzusetzen. Wenn die Union weiter wächst, wird sie, so viel ist klar vorauszusehen, zu einem Konglomerat partiell überlappender Gemeinschaften werden, die allesamt die 80 000 Druckseiten des Acquis communautaire akzeptiert haben, aber im Übrigen nicht auf allen anderen Gebieten zusammenarbeiten. Schon jetzt gibt es drei groß angelegte Projekte, an denen nicht alle 25 EU-Mitgliedstaaten teilnehmen: die *Eurozone*, der nur zwölf Mitglieder beigetreten sind, das *Schengener Abkommen*, mit dem die Grenzkontrollen zwischen 15 Mitgliedsländern abgeschafft wurden, und die *Westeuropäische Union* (WEU), die Organisation für Sicherheit und Verteidigung, die lediglich zehn Vollmitglieder zählt.

Wenn je Anlass bestand, sich an Jean Monnets Diktum von der »Erweiterung des Kontexts durch neue konkrete Tatsachen« zu erinnern, dann findet sich der in der neuen Nachbarschaft Europas. War im 20. Jahrhundert Europa der Brutherd von Krieg und Instabilität, so geht im 21. Jahrhundert »die gefährlichste Bedrohung sowohl der amerikanischen als auch der europäischen Sicherheit« von den neuen Nachbarn Europas aus.[14]

Hier hat die Außenpolitik der Union ihre härteste Bewährungsprobe zu bestehen. Die Lage wird zudem noch dadurch verschärft, dass Europa nicht der einzige magnetische Pol in unserer Weltgegend ist. Im Osten zeigt eine durch Wirtschaftswachstum gestärkte Russische Republik zunehmend mehr Selbstbewusstsein und nutzt ihre immensen Bodenschätze zu dem Zweck, eine Rolle in der Weltpolitik zurückzugewinnen und sich ein Imperium aus energieabhängigen Nachbarstaaten zu schaffen. Im Süden und im Osten zeigen die Amerikaner starke Präsenz. US-Militärbasen gibt es im Irak, in Kuwait, Bahrain, Oman, Israel, Katar, den Vereinigten Arabischen Emiraten, Usbekistan, Tadschikistan und Kirgistan (Kirgisien); ferner ist eine neue »Basenfamilie« mit Standorten in Rumänien, Polen, Bulgarien, Marokko, Tunesien und Algerien geplant.[15] Die USA werden bei Entscheidungen in der Region stets ein gewichtiges Wort mitzureden haben – nicht zuletzt weil sie für viele Länder hier auch ein wichtiger Handelspartner sind und mit ihnen wo immer möglich Freihandelsabkommen schließen.

Umso wichtiger ist es für die Europäer zu beweisen, dass sie in der Lage sind, Verantwortung für die Nachbarstaaten zu übernehmen und im Einvernehmen mit den Amerikanern einen neuen Politikansatz zu entwickeln, wie sie das schon in Mittel- und Osteuropa getan haben. Im Umgang mit allen wichtigeren Ländern zeigen wir einen alternativen Weg zum Erfolg auf.

Im Iran zum Beispiel bewirkt die amerikanische Strategie der Isolation und des Unter-Druck-Setzens eigentlich nur eine verstärkte Unterdrückung demokratischer Tendenzen und ein noch intensiveres Bemühen um die Entwicklung von Nuklearwaffen. Aus dem Irakkrieg haben die Iraner die Lehre gezogen, dass man über das Mittel der atomaren Abschreckung verfügen muss, um vor einer amerikanischen Invasion sicher zu sein – und sie fühlen sich nun gefordert, schleunigst in den Besitz dieses Mittels zu kommen, solange die amerikanischen Truppen noch im Irak gebunden sind. Gleichermaßen kontraproduktiv ist die zweite Komponente der amerikanischen Strategie: Nachdem man den Iran schon zum »Pariastaat« gemacht hat, was riskiert er da eigentlich noch, wenn er demokratische Tendenzen im Innern unterdrückt? Bedeutend höher sind demgegenüber die Erfolgsaussichten einer europäischen Politik, die überhaupt erst einmal die Motivlage aufseiten des Iran zur Kenntnis und ernst nimmt, um dann auf die ausschlaggebenden Faktoren in der Risikoberechnung der Mullahs Einfluss zu nehmen. Indem sie auf die Sicherheitsinteressen des Iran eingehen und bedeutende wirtschaftliche Vorteile offerieren, versuchen die Europäer, dem iranischen Regime gegenüber Boden gutzumachen, den die USA mit ihrer Isolationsstrategie verspielt haben. Aber die Amerikaner müssen mitmachen, wenn die EU zum Erfolg kommen soll, denn sie allein kann den Iranern die verlangten Sicherheitsgarantien nicht geben. Der Verhandlungsprozess ist schwierig, und es gibt immer wieder Rückschläge. Dennoch ist das Konzept die langfristig bessere Alternative.

Bushs »Krieg gegen den Terror« hat in der arabischen Welt und im Kaukasus faktisch die Position autokratischer Machthaber gefestigt; von Hosni Mubarak in Ägypten bis zu Nursultan Nasarbajew in Kasachstan können die Herrschaften nun die verschärfte Strangulierung der Medien und die systematische Verfolgung und Diskriminierung der politischen Opposition als Anti-Terror-Kampf bemänteln. In gleicher Manier kam die amerikanische Politik der bilateralen Freihandelsabkommen bereits dem Aktionsplan der Europäer in die Quere, eine regionale Freihandelszone zu schaffen und den aufkommenden Regionalismus als Vehikel für die eigene Demokratisierungspolitik zu nutzen.

In all den Gegenden, die von der Anziehungskraft der amerikanischen Nachbarschaftspolitik nicht erfasst werden, kann die EU ihre »verwandelnde Kraft« – das Junktim zwischen Marktzugang und politischer Reform – einsetzen, um gesellschaftliche Bereiche umzugestalten. Die Entscheidung, in Beitrittsverhandlungen mit der Türkei einzutreten, hat jetzt ein auf Religion und geographischer Lage liegendes Tabu aufgehoben und gezeigt, dass die Europäische Union in allererster Linie eine Wertegemeinschaft ist.

Der ehemalige französische Finanzminister Dominique Strauss-Kahn meint: »Nachdem Europa sich nach Osten geöffnet hat, muss es sich jetzt dem Süden zuwenden, damit es wieder zum Verbindungsglied zwischen der westlichen Welt und dem Orient werden kann … Wir werden darüber nachdenken müssen, wie wir Ländern der ehemaligen Sowjetunion und des Mittelmeerbeckens, etwa denen des Maghreb, die Eingliederung in unseren politischen Raum ermöglichen können.« Es ist vielleicht noch zu früh, so Strauss-Kahn, mit Zurüstungen für eine Europäische Union zu beginnen, die sich von den Eisbergen des nördlichen Polargebiets über das Mittelmeer mittendrin bis zu den Sanddünen der Sahara erstreckt. Aber es wäre sträflich, die Möglichkeit von der Hand zu weisen.

KAPITEL 9
Brüssel und der Beijing-Konsens

Im indischen Restaurant um die Ecke wurde ich wie ein verloren geglaubter alter Freund begrüßt. Eine Riege junger Kellner gestikulierte aufgeregt in meine Richtung. Endlich merkte ich, dass sie auf die Tasche deuteten, die ich mir unlängst auf einer Chinareise gekauft hatte und auf der in chinesischen Schriftzeichen der Name der Stadt Schanghai prangte. »Ah, Sie sind in China gewesen. Die Chinesen haben neulich einen Mann ins All geschossen – langsam laufen sie den Amerikanern den Rang ab.«

Es ist nicht einfach leidenschaftlicher Regionalismus, was diese jungen Bengalen befeuert. Überall in den sich entwickelnden Teilen der Welt halten die Menschen die Augen auf den chinesischen Moloch gerichtet und beobachten gespannt seinen Vormarsch. Mit schwindelerregenden Wachstumsraten von jährlich acht Prozent[1] entreißt China Millionen Menschen der Armut und ist damit für Entwicklungsländer ein begeisterndes Vorbild. Aber noch erregender ist der Gedanke, hier eine neue Supermacht heranwachsen zu sehen, die eines Tages die Hegemonialstellung der USA und den amerikanischen Modus agendi infrage stellen könnte.

Schon ist von dem »chinesischen Jahrhundert« und dem »Beijing-Konsens« (Peking-Konsens) die Rede, denn Chinas Emporkommen passt nicht ins westliche Lehrbuchschema der wirtschaftlichen Entwicklung. Die Volksrepublik ist nicht von dem Verlangen getrieben, die leitenden Herren des Internationalen Währungsfonds und der Weltbank bei Laune zu halten, sondern von dem auf elementarer Ebene angesiedelten Bedürfnis nach gerechtem qualitativem Wachstum. Mit Konzepten wie Privatisierung und Freihandel gehen die verantwortlichen Wirtschaftspolitiker vorsichtig um; sie denken nicht daran, sie mit Feuereifer in die Tat umzusetzen. Im Mittelpunkt der chinesischen Außenpolitik steht die grimmige Verteidigung der Landesgrenzen und der nationalen Interessen sowie eine wachsende Bindung an multilaterale Institutionen wie die Vereinten Nationen. Im Ganzen hat diese Politik China ein Wirtschaftswachstum ermöglicht, das nicht mit dem Verlust der Unabhängigkeit und der Bevormundung durch Finanzinstitute wie die Weltbank und den Internationalen Währungsfonds, durch globale Konzerne oder die Bush-Administration bezahlt werden musste.[2]

Angesichts der immensen Größe des Landes und seiner verblüffenden Wachstumsrate bietet das aufsteigende China nach Meinung vieler der Transformationskraft der EU kaum noch Ansatzpunkte. Doch Chinas Geheimnis ist, dass es, je mehr es wächst und auf der internationalen Bühne an Selbstsicherheit gewinnt, der Europäischen Union immer ähnlicher wird: Motor der chinesischen Entwicklung ist der Wille, ein historisches Trauma hinter sich zu lassen. Friede und Stabilität nehmen im Prioritätenkatalog der politischen Klasse mit Abstand die erste Stelle ein. Ein interventionistischer Staat sucht wirtschaftliche Dynamik mit sozialer Sicherheit zu koppeln. Die wichtigsten Artikel im außenpolitischen Credo der Chinesen sind der Auf- und Ausbau solch globaler Institutionen wie der UNO und die weltweite Durchsetzung des Völkerrechts. Und in Asien treibt China in seiner Nachbarschaft einen regionalen Integrationsprozess voran, aus dem einmal das fernöstliche Gegenstück zur Europäischen Union hervorgehen könnte.

Nur wenige sind den eigenartigen Umstand gewahr geworden, dass Chinas Emporkommen auf der Weltbühne zu einem der wichtigsten Schrittmacher des »Neuen Europäischen Jahrhunderts« werden könnte.

»In friedlicher Weise hurtig emporkommen«

Das Seebad Boao liegt an der Ostküste der südchinesischen Tropeninsel Hainan zwischen Sandstrand, Kokospalmen und warmen Quellen. Hier machte auf der am 2./3. November 2003 stattfindenden Jahrestagung des Boao-Asienforums der Vorsitzende des China-Reformforums Zheng Bijian erstmals die Idee von »Chinas friedlichem Aufstieg« publik, die er im Auftrag der neuen Staatsführung an der Spitze einer Arbeitsgruppe entwickelt hatte.[3]

Kennzeichen der neueren Geschichte Chinas ist eine Reihe von Erniedrigungen durch fremde Mächte und Bürgerkriege, deshalb spricht man auf Regierungsseite – eine von Sun Yat-sen (Sun Yixian, Sun Zhongshan) geprägte Losung aufgreifend – seit Jahren von einem »neuen großen Wiederaufstieg der chinesischen Nation«[4], wenn man das Volk hinter sich scharen will. Das kommt zwar bei den eigenen Landsleuten gut an, jagt aber den Nachbarn des Reichs der Mitte kalte Schauer über den Rücken, denn sie befürchten, dass der chinesische Riese sie zermalmen könnte, wenn er sich erst einmal in Bewegung setzt. Die Theorie des »friedlichen Aufstiegs« wurde ausdrücklich zu dem Zweck entwickelt, der Vorstellung entgegenzuwirken, dass von Chinas Emporkommen eine Bedrohung ausgehen könnte. Das Konzept ist das Ergebnis einer vom Staatsrat bei einer Gruppe von Fachleuten und hohen Parteikadern in Schanghai in Auftrag gegebenen Studie. Die Auswertung von 40 Fallstudien volkswirtschaftlicher Entwicklung brachte das Forscherteam zu dem Befund, dass Aufschwung in seiner erfolgreichsten Form mit stabilen politischen Verhältnissen im Landesinneren und friedlichen Außenbeziehungen gekoppelt war.

»Friedlicher Aufstieg« – chinesisch *heping jueqi* (wörtlich: »in friedlicher Weise hurtig emporkommen«) – ist das Kürzel für Pekings erklärtes Ziel, gutnachbarliche Beziehungen zu wahren und im Bewusstsein globaler Verantwortung zu handeln. Chinesische Spitzenpolitiker betonen, dass Chinas Aufstieg anderen Völkern keinen Schaden, sondern beträchtliche Vorteile bringen werde. Chinesische Theoretiker weisen gern darauf hin, dass die ökonomische Leistungsbilanz Japans und der anderen asiatischen »Drachenstaaten« auf aggressiven, ja räuberischen Exportstrategien beruht, Chinas Wachstum hingegen nicht ausschließlich von seiner Präsenz auf überseeischen Märkten, sondern auch von einem enormen inländischen Konsum und massiven Direktinvestitionen aus dem Ausland herrührt.[5] Mit der Öffnung seines Marktes für Importe, die daraufhin um 40 Prozent in die Höhe schnellten, hat China nicht nur der Wirtschaft der Region, sondern der Weltwirtschaft insgesamt eine Aufbauspritze verabreicht.

Die Chinesen haben es wahrlich an nichts fehlen lassen, um der Welt ihren Wunsch nach Frieden zu verdeutlichen. In den letzten Jahren bereinigten sie praktisch alle Grenzstreitigkeiten mit Nachbarstaaten. Sie unterzeichneten einen Nichtangriffspakt mit der ASEAN, was bedeutete, dass Streitereien um Hoheitsgebiete in Krisenherden wie dem Südchinesischen Meer im Interesse gemeinsamer ökonomischer Fortentwicklung für unbegrenzte Zeit auf Eis gelegt wurden. Sie bemühten sich redlich, bei der Lösung des Konflikts um das Atomprogramm Nordkoreas zu helfen. Ferner versprach die chinesische Führungsspitze (durch Freihandelsabkommen etc.) eine kräftige Erhöhung sowohl der Importe aus ASEAN-Mitgliedstaaten als auch der chinesischen Wirtschaftshilfe für diese Länder.[6] Als vertrauensbildende Maßnahme führte China mit den Nachbarn Russland, Kirgistan, Indien und Pakistan gemeinsame Militärmanöver durch.[7]

China gibt sich außerdem größte Mühe, einer Konfrontation mit den Vereinigten Staaten aus dem Weg zu gehen. Nach dem Knatsch zu Beginn von George W. Bushs erster Amtszeit, als ein US-Spionageflugzeug über China einen chinesischen Kampfjet rammte und daraufhin auf chinesischem Territorium notlanden musste, haben sich die Beziehungen bald wieder verbessert. Nach dem 11. September 2001 gab Peking nützliche Geheimdienstinformationen an Washington weiter und benutzte wie Russland den Anschlag als Vorwand, gegen separatistische Bestrebungen im eigenen Herrschaftsbereich vorzugehen. China spielte eine aktive Rolle in den »Sechs-Parteien-Gesprächen«, in denen die Volksrepublik bis zum Ausstieg Nordkoreas im Februar 2005 neben Südkorea, Russland, Japan und den USA mit Nordkorea über dessen Atomwaffenprogramm verhandelte und nach einer friedlichen Lösung des Konflikts suchte. Als dic USA die wachsende Gefahr von vermeintlich im Irak vorhandenen Massenvernichtungswaffen dramatisierten, unterstützten die Chinesen sogar die erste Resolution des UN-Sicherheitsrats Nr. 1441 (vom 14. November 2002) und hielten sich im Übrigen mit Meinungsäußerungen zum weiteren Vorgehen der USA zurück – ganz anders als während des Kosovo-Konflikts, als wechselnde Sprecher der chinesischen Regierung 24 Stunden am Tag die »illegale Aktion« der NATO geißelten. Einen Großteil seiner Devisenreserven, die von 2003 bis Ende 2004 von 403 Milliarden auf 610 Milliarden Dollar anstiegen, legte China in US-Dollar und amerikanischen Staatsanleihen an und schuf so eine feste ökonomische Interdependenz zwischen der Volksrepublik und den Vereinigten Staaten.[8]

Zwar stieß die Formel vom »friedlichen Aufstieg« in China selbst auf Widerstand[9] – was Staatspräsident Hu Jintao und Ministerpräsident Wen Jiabao bewog, sie in ihren Verlautbarungen durch »friedliche Entwicklung« zu ersetzen –, aber das war mehr ein Reflex KP-interner Auseinandersetzungen und tangierte die neue außenpolitische Strategie in keiner Weise. Die in dem Schlagwort gebündelten Konzepte bezüglich regionaler Integration, Multilateralismus und Konfliktvermeidung zeigen bereits erkennbar Wirkung in einer Neuausrichtung von Chinas außenpolitischer Praxis. Wichtiger noch: Die Strategie scheint die gewünschte Wirkung zu haben. Im *Christian Science Monitor* (Boston) erläuterte Robert W. Radtke, der Vizepräsident der 1956 von John D. Rockefeller III. gegründeten Asian Society, warum Chinas sanfte Tour bei den Verbündeten der USA in der Region gut ankommt: »Wie die Chinesen ihren ›friedlichen Aufstieg‹ verstanden wissen wollen, legte Chinas Staatspräsident Hu Jintao den Asiaten auf einer Rundreise durch Südostasien im Oktober [2003] dar – gleichsam auf den Fersen von Präsident Bush, der im selben Monat durch die Region tourte. Der Unterschied im Ton, den die zwei Staatschefs jeweils anschlugen, hätte nicht aufschlussreicher sein können. Kurz gefasst lautete Chinas Botschaft: ›Wir sind hier, um euch zu helfen‹, die der USA hingegen: ›Wenn ihr im Krieg gegen den Terror nicht für uns seid, seid ihr gegen uns‹. Man braucht nicht viel Fantasie, um sich vorstellen zu können, welche diplomatische Strategie die wirksamere war.«[10]

Das Netzwerk China

Der zweite gewichtige Politikwechsel, den die Chinesen vollzogen haben, ist ihr Umschwenken zum Eintreten für den Multilateralismus. Noch vor wenigen Jahren sah China in allen multilateralen Institutionen lediglich Instrumente des westlichen Imperialismus, was in Anbetracht der früheren Erfahrungen, die China mit diesen Institutionen gemacht hat, nicht verwunderlich ist: Nicht nur wurde der Volksrepublik bis zum Jahr 1971 die Aufnahme in die Vereinten Nationen verweigert, sondern sie wurde auch während des Koreakriegs Anfang der 1950er-Jahre mit UN-Sanktionen belegt.

Zweierlei gab den Anstoß zu dem Gesinnungswechsel. Erstens ging den Chinesen auf, dass sie auf wirtschaftlichem Gebiet nach den Amerikanern die größten Nutznießer der Globalisierung waren. Das machte Deng Xiaoping zum Anwalt einer Politik, die darauf abzielte, »auf der Basis der existierenden internationalen Systeme für ein der heimischen Wirtschaftsentwicklung förderliches freundliches [internationales] Umfeld zu sorgen«.[11] Zweiter Beweggrund war der unaufhaltsame Aufstieg der USA nach dem Ende des Kalten Krieges.

Am stärksten bedroht sieht sich Peking heute nicht mehr durch die Einmischung internationaler Organisationen in Chinas »innere Angelegenheiten«, sondern durch die Entschlossenheit, mit der die USA in Sicherheitsfragen die Autorität der internationalen Organisationen untergraben. Der chinesische Außenminister Li Zhaoxing äußerte sich vor nicht allzu langer Zeit folgendermaßen[12]: »Für alle Staaten, ob groß oder klein, stark oder schwach, gelten das Völkerrecht und die Grundregeln zwischenstaatlicher Beziehungen in gleichem Maße. Die existierenden multilateralen internationalen Organisationen, namentlich die Vereinten Nationen, sind für alle Staaten das optimale Forum für gleichberechtigte Mitwirkung bei internationalen Angelegenheiten und zugleich die Gewähr für demokratische und gesetzlich geregelte zwischenstaatliche Beziehungen auf rechtlicher Grundlage. Wir haben allen Grund, sie zu stärken, und es gibt keine Rechtfertigung dafür, sie zu schwächen.«

Ebendarum hat China begonnen, sich wie die EU mit der Frage auseinanderzusetzen, wie die internationalen Institutionen im Hinblick auf neue Herausforderungen reformiert werden können. Auf meiner eingangs dieses Kapitels erwähnten Chinareise hörte ich, dass die Volksrepublik möglicherweise sogar ihr bisheriges kompromissloses Beharren auf dem Prinzip der Nichteinmischung in die inneren Angelegenheiten anderer Staaten neu überdenken und in bestimmten Ausnahmefällen die Legitimität einer »humanitären Intervention« anerkennen wird.

Den bemerkenswertesten Politikwechsel vollzogen die Chinesen jedoch, als sie sich für die regionale Integration erwärmten. Chinesische Politikwissenschaftler studierten das europäische Modell, um daraus Anregungen für die Neugestaltung ihres Verhältnisses zu ihren Nachbarn zu schöpfen. Etwas mehr als vier Jahre nach dem Ende der Sowjetunion trafen in Schanghai Spitzenvertreter Chinas und seiner westlichen Nachbarn Russland, Kasachstan, Tadschikistan und Kirgistan zusammen, um ein Abkommen über vertrauensbildende Maßnahmen auf militärischem Gebiet zu unterzeichnen. Die »Schanghai Fünf« einigten sich in den folgenden Jahren auf verstärkte Zusammenarbeit auf den Gebieten Sicherheit und Handel; entlang der 6900 Kilometer langen gemeinsamen Grenzen schuf man einen 300 Kilometer breiten Korridor, aus dem die jeweiligen Truppen abgezogen wurden. Im Jahr 2001 trat Usbekistan der Koalition bei, und aus den »Shanghai Fünf« wurde die »Schanghaier Kooperationsorganisation«. Die neue Koalition hat in Usbekistan bereits eine »Regionale Antiterrorstruktur« ins Leben gerufen, die Zusammenarbeit in Politik, Handel, Wirtschaft, Kultur, Grenz- und Sicherheitsfragen sowie anderen Bereichen effektiv gefestigt und zweimal gemeinsame Militärmanöver abgehalten. Externe Beobachter sehen hier einen »Geist von Schanghai« entstehen, einen Geist des gegenseitigen Vertrauens auf der Basis der Gleichberechtigung und zum Nutzen aller Beteiligten, der die Stabilität der Region sichert und gewährleistet.[13]

Im Süden und im Osten hat sich eine ähnliche Revolution ereignet. Während der gesamten Zeit des Kalten Krieges verkehrte China mit den ASEAN-Staaten ausschließlich auf bilateraler Basis. In den letzten 15 Jahren entwickelte die Volksrepublik jedoch ein leidenschaftliches Engagement für die regionale Integration, das dem der Europäer nahekommt. Chinesische Spitzenpolitiker sprechen von der Bildung einer »Asiatischen Gemeinschaft« im Stil der EU, mit einer auf dem chinesischen Yuan basierenden gemeinsamen asiatischen Währung, die der Abhängigkeit vom US-Dollar ein Ende machen soll.[14]

Chinas krisenanfälliges Verhältnis zu Japan wird natürlich dafür sorgen, dass es noch ein Weile dauern wird, bis es so weit ist. Die Erinnerungen an den Zweiten Weltkrieg sitzen tief, und beide Seiten schürten bislang volkstümliche Antipathien. Mindestens einmal im Jahr sorgt die japanische Seite dafür, dass diese Gefühle hochkochen, nämlich dann, wenn hohe japanische Politiker, allen voran der Ministerpräsident, den Yasukuni-Schrein in Tokio besuchen, um japanische Soldaten zu ehren, darunter auch solche, die in China Kriegsverbrechen verübt haben. Und in China lassen die vom Staat kontrollierten Medien kaum eine Gelegenheit aus, Stimmung gegen Japan zu machen. Manche Asienexperten sind jedoch der Überzeugung, dass die anhaltende Dynamik der regionalen wirtschaftlichen Zusammenarbeit, die Erholung der japanischen Wirtschaft und das gemeinsame Interesse beider Länder an einer Verhandlungslösung der von Nordkorea provozierten Nuklearkrise durchaus ausreichen könnten, um China und Japan an einen Tisch zu bringen.[15]

Das europäische Modell als Herausforderung für China

Das »europäische China«, das ich hier schildere, ist nur eine von einer Anzahl möglicher Welten. Ob es Wirklichkeit wird, hängt davon ab, ob die chinesische Denkweise sich in zweifacher Beziehung einschneidend wandelt. Zum einen wäre die Ausbildung einer Ethik der globalen Verantwortung fällig. In jüngster Zeit spielte China eine Schlüsselrolle im Nordkoreakonflikt, zeigte sich in zunehmendem Maß bereit, an Diskussionen über eine neue Weltordnungspolitik (*global governance*) teilzunehmen und stellte in begrenztem Umfang Truppen für UN-Friedensmissionen zur Verfügung. Um jedoch für die EU ein Partner nicht nur auf wirtschaftlichem, sondern auch auf politischem Gebiet sein zu können, müsste sich China in sinnvoller Weise für die Stabilisierung zerfallener Staaten, die Abwehr von Völkermord, den Stopp der globalen Erwärmung sowie bei Maßnahmen gegen die Verbreitung von Massenvernichtungswaffen engagieren. Zum anderen wird China auch beim Thema Souveränität umdenken müssen. Statt in geteilter Souveränität eine Bedrohung zu sehen, wird es sich der Sache mehr als bisher öffnen müssen, wenn es bei seinen Bemühungen um regionale Integration auf Gegenliebe stoßen will.

Einem solchen zweifachen Wandel könnte mancherlei im Weg stehen. Den in der öffentlichen Meinung neu erstarkten Nationalismus und die »Ein-China«-Politik, die Taiwan »um jeden Preis« von der Unabhängigkeitserklärung abhalten will, finden europäische Beobachter erschreckend. Mit ihrem unersättlichen Energiehunger droht die chinesische Regierung etlichen vorrangigen Zielen der Europäischen Union in die Quere zu kommen. Pekings Bedürfnis, seine Energieinteressen im Sudan und im Iran zu wahren, könnte leicht in Konflikt geraten mit den Bemühungen westlicher Staaten, dem Genozid im erstgenannten Land und dem Streben nach dem Besitz von Kernwaffen in letzterem Einhalt zu gebieten. Das dickste Fragezeichen betrifft Chinas Verhältnis zur Demokratie und zu den Menschenrechten. In der Kommunistischen Partei Chinas (KPCh) wächst die Tendenz zu einer stärker meritokratisch ausgerichteten Hierarchie, und in diesem Zusammenhang bemüht man sich auch um die Eingliederung erfolgreicher Geschäftsleute. Es wird gemunkelt, dass die nächste große Revolution mit der Einführung von Kommunalwahlen und landesweiten Wahlen ein Schritt auf dem Weg zur Demokratisierung sein werde. Dem wird freilich ein langwieriger Prozess vorausgehen.

Welchen Weg China einschlagen wird, hängt zum Teil davon ab, wie es vom Ausland behandelt wird. Wird es, was viele neokonservative Theoretiker gewohnheitsmäßig tun, als Bedrohung eingestuft, werden wir es möglicherweise mit einem Fall von *self-fulfilling prophecy* zu tun bekommen. Der Versuch, die Volksrepublik niederzuhalten und ihre Entwicklung zu bremsen, könnte dem chinesischen Nationalismus Auftrieb geben und einen verheerenden Krieg um Taiwan lostreten. Aber wenn die Welt China als Partner behandelt und in globale Institutionen einbindet, ist es genauso gut möglich, dass es sich ganz seiner multilateralistischen Logik überlässt. Das Ja zum Markt hatte für das Land auf ideologischer Ebene den Übergang zu Friedfertigkeit und Multilateralismus zur Folge. Nicht unwahrscheinlich, dass die damit einhergehende politische Praxis ihre eigene Dynamik entfaltet, die dann wiederum eine Revision der chinesischen Auffassung von den Interessen, der Sicherheit und selbst der Identität der Nation bewirkt – so wie Großbritannien, Frankreich und Deutschland durch die gelebte Erfahrung des Multilateralismus verändert wurden.

Der Multilateralismus der zur globalen Supermacht aufsteigenden Volksrepublik wird nicht nur das Kräftespiel in der eigenen Region neu gestalten. Er dürfte auch für andere Großmächte einschneidende Konsequenzen haben. Bill Clinton ist überzeugt, dass angesichts Chinas wachsender Macht sein Land nicht umhinkönnen wird, über ein Bekenntnis zum Multilateralismus neu nachzudenken: »Die Vereinigten Staaten stehen mit ihrer politischen, wirtschaftlichen und militärischen Vorherrschaft momentan auf einem Status ohnegleichen in der Menschheitsgeschichte. Doch in höchstens 30 Jahren könnte die chinesische Wirtschaft die unsere eingeholt oder überholt haben … In der interdependenten Welt der Zukunft können wir führen, aber nicht herrschen.«[16] Clinton hofft, dass sich Amerika durch Chinas Aufstieg dazu bewegen lässt, Ja zu sagen zu einer Welt, in der das Völkerrecht und nicht militärische Gewalt regiert.

Wenn alles gut geht, könnte China, indem es das EU-Erfolgsrezept in der eigenen Region anwendet, einer der wichtigsten Motoren politischer Transformation sein und am Aufbau eines globalen Milieus mitwirken, in dem Multilateralismus und regionale Integration realisiert sind. Es klingt paradox – aber das bleibende Vermächtnis des aufsteigenden China an die Welt könnte ein »neues europäisches Jahrhundert« sein.

KAPITEL 10
Das Ende der amerikanischen Weltordnung

Alle 17 Jahre muss sich Washington auf eine Invasion aus der Luft gefasst machen. Wie eine ägyptische Plage fallen die Zikaden über die Bundeshauptstadt und die Staaten im Osten her. Sie schlüpfen, kriechen aus dem Boden, paaren sich, legen ihre Eier ab und verschwinden dann wieder für 17 Jahre von der Bildfläche. Während ich bei einem Aufenthalt in der imperialen Metropole im Jahr 2004 das Treiben der Insekten mit den Augen des Europäers beobachtete, lernte ich den Absturz dieser überbordenden Geschäftigkeit von hundert auf null als Sinnbild für die amerikanische Außenpolitik begreifen. Der französische Soziologe Raymond Aron charakterisierte die Politik Amerikas einmal als »Schaukelbewegungen zwischen Kreuzfahrergeist und Rückzug in die isolationistische Absonderung von einer korrupten Welt, die sich der Frohen Botschaft Amerikas verschließt«.[1]

Seit 1945 haben wir uns an die wärmende Glut des Kreuzfahrergeistes gewöhnt. Während das Kalten Krieges ließen sich die USA in Europa und Asien – ganz gegen eine seit George Washington geheiligte Tradition – auf »verstrickende Bündnisse« (*entangling alliances*) ein, setzten Truppen rund um den Erdball ein, um die Machtbalance zu wahren, und wirkten am Aufbau globaler wirtschaftlicher und politischer Institutionen mit, deren Sinn und Ziel es ist, Werte freiheitlicher Demokratie aufrechtzuerhalten. Die Vereinten Nationen, der Internationale Währungsfonds, die Weltbank, die NATO und sogar die Europäische Union wurden von amerikanischen Präsidenten gehegt und gepflegt und finanziert. Heute geht diese überschießende Freude am Engagement ihrem Ende entgegen.

Obwohl Präsident Bush seinen Krieg gegen den Terror *expressis verbis* als »Kreuzzug« bezeichnete, sah man die Vereinigten Staaten den Weg in den Isolationismus beschreiten – in eine neue Art von Isolationismus, der auf das Zeitalter von Bill Gates und Osama bin Laden zugeschnitten ist. Die USA kehren dem Rest der Welt nicht den Rücken – ihre Wirtschaft und ihre Sicherheit hängen viel zu sehr davon ab, was anderswo auf dem Planeten passiert –, aber sie suchen sich aus der selbst geschaffenen Weltordnung zu lösen. In dem Zeitraum vom 11. September 2001 bis Juni 2004 steigerten sich die Militärausgaben auf ein Volumen, das dem der gesamten übrigen Welt entspricht. Gleichzeitig behandelte Washington internationale Abkommen als Makulatur: Das Kyoto-Protokoll und das Abkommen über den Internationalen Strafgerichtshof wurden boykottiert, der ABM-Vertrag gekündigt und die effektive Kontrolle der Einhaltung des B-Waffen-Abkommens blockiert. Zudem hoben die USA ihre Leistungsfähigkeit als Militär- und Besatzungsmacht hervor. Dieses Dreigespann von militärischer Vormachtstellung, Unilateralismus und Bereitschaft zum Präventivkrieg wird groß als die »Bush-Revolution« herausgestellt, die fortan eine Generation lang eine selbstbewusst durchgreifende Außenpolitik bestimmen soll.

In jüngster Zeit war viel über das Was, Wie und Warum transatlantischer Spaltungen zu lesen und auch darüber, mit welchen Maßnahmen sie kurzfristig zu kitten wären; die Perspektive dieses Buches erstreckt sich jedoch weit über die nächsten Jahre hinaus: Uns interessiert die Frage, wie sich die Weltordnung im weiteren Verlauf des Jahrhunderts gestalten wird. Die »Bush-Revolution« gründet sich auf die irrige Voraussetzung, als einzige Supermacht dürfe man tun, was einem gefällt. Das hat Amerikas Ansehen in der Welt geschadet, zu einer Verzettelung der Macht geführt und das Land in die selbst geschaffene Isolation manövriert. Wenn Aron recht hat, hat das alldem zugrunde liegende strategische Konzept keinen Bestand. Der Ehrgeiz und das Sicherheitsbedürfnis des Landes werden dafür sorgen, dass die USA lange, bevor die heute lebende Generation von der nächsten abgelöst wird, aus ihrer Isolation in die Welt zurückkehren.

Doch wie wird diese Welt aussehen?

Das Ende des Kalten Krieges und die fortschreitende Globalisierung haben drei bedeutende Gewichtsverschiebungen in den weltweiten Machtstrukturen ausgelöst: von West nach Ost; von einem System internationaler Beziehungen und Normen, das um das Rechtsprinzip der souveränen Gleichheit der Staaten zentriert ist, zu einem solchen, das sich für den Schutz der Individuen vor Genozid, Terror und globaler Erwärmung engagiert; und von einem System, das größten Wert auf die Souveränität des Nationalstaats legt, zu einem solchen, das sich mehr und mehr durch regionale Integration definiert.

Aufgrund dieses Wandlungsprozesses ist es schlechterdings unmöglich, die transatlantische Beziehung in ihrer alten Form wieder aufleben zu lassen. Aber wenn Europa eine Schablone für eine neue Weltordnung entwirft, kann es in der Zusammenarbeit mit den Amerikanern ein über die beiden Kontinente hinausreichendes Bündnis stiften und neue Bündnispartner für die Suche nach der Lösung globaler Probleme gewinnen. Das scheint mir eine sehr viel überzeugendere Vision als die prinzipielle Abgrenzung Europas von Amerika. Timothy Garton Ash ist nicht als Einziger der Meinung, wir sollten nicht versuchen, Amerika nur im Zaum zu halten, damit es sich nicht in ein neues Abenteuer wie den Irakkrieg stürzt, sondern begreifen, dass es die beste Zielsetzung für uns wäre, gemeinsam mit einem engagiert internationalistischen Amerika an der Runderneuerung der Weltordnung für ein neues Zeitalter zu arbeiten.[2]

Ist Europa Erfolg beschieden, könnte es auf diesem Weg die amerikanische Macht in ihrem Wesen umgestalten und an die Bedingungen einer post-amerikanischen Welt anpassen.

Das Erstarken des Südens und des Ostens

Unmöglich können 90 Prozent der Weltbevölkerung länger eine internationale Ordnung hinnehmen, die auf die Interessen Europas und Amerikas zugeschnitten ist. Im weiteren Verlauf dieses Jahrhunderts wird sich der Schwerpunkt unaufhaltsam vom Norden und Westen nach Süden und Osten verschieben. Die Früchte der ökonomischen Globalisierung könnten China und Indien instand setzen, bis spätestens zur Jahrhundertmitte die USA auf wirtschaftlichem Gebiet zu überholen, dicht gefolgt von Brasilien, Russland und Südafrika.

Der zunehmende Einfluss dieser ökonomischen Schwergewichtler schickt bereits Schockwellen durch das Weltwirtschaftssystem. Von ihren gigantischen Devisenreserven, die Ende 2004 im Wert auf 610 Milliarden US-Dollar angewachsen waren, legte die Volksrepublik China im Jahr 2004 rund 200 Milliarden in US-Dollar und amerikanischen Staatsanleihen an. Im Sommer 2006 wurden die chinesischen Devisenreserven auf 940 Milliarden Dollar beziffert, was Kritiker allerdings bezweifeln.[3] Indien hatte gegen Ende 2004 immerhin Devisen im Wert von über 100 Milliarden US-Dollar angehäuft.[4] Mit ihrem gewaltigen Bedarf an Erdöl beziehungsweise an natürlichen Ressourcen überhaupt treiben diese Staaten die Weltmarktpreise in die Höhe, und mit ihrer rasanten Entwicklung schaffen sie eine ganze Reihe neuer Umweltprobleme. Im selben Maß, wie die Wirtschaft der neuen Tigerstaaten des Südens und Ostens wächst, wird sich im globalen Rahmen auch ihre wirtschaftliche, politische und kulturelle Macht entwickeln.

Der Verfall von Amerikas »weicher Macht« signalisiert vielleicht auf eindrucksvollste Weise das Ende des amerikanischen Jahrhunderts. Angesichts der Spannung zwischen der traditionellen »Marke Amerika« (dem auf die »weiche Macht« der Sympathiewerbung setzenden Bemühen, der Welt die zentralen amerikanischen Werte Freiheit, Markt und Selbstverwirklichung gleichsam zu »verkaufen«) und der »Pax Americana« (die heute unter dem Vorzeichen der globalen amerikanischen Hegemonie das Gleiche notfalls mit der Androhung »harter« institutioneller Macht zu erreichen sucht) rieten Werbeagenturen wie McCann Erickson ihren Klienten, auf der Verpackung ihrer Exportware keinesfalls mehr die amerikanische Flagge sehen zu lassen.[5] Natürlich hat der amerikanische Traum immer noch eine große Anziehungskraft, aber Bollywood, Al-Dschasira, europäische Markenprodukte und das chinesische Entwicklungsmodell haben begonnen, ihm den Rang streitig zu machen. Dass japanische und koreanische Kinder in den 1950er-Jahren Baseball spielen lernten, spiegelt das damals in beiden Völkern verbreitete Verlangen wider, als Mitglieder der amerikanischen Welt gelten zu können. Aber jetzt, wo die sowjetische Bedrohung, die den Zusammenhalt dieser Welt stiftete, fortgefallen ist, fängt die westliche Identität an zu bröckeln.

Das wirtschaftliche Erstarken von Ländern wie Indien, Brasilien und Südafrika macht es auf die Dauer unmöglich, sie von den Schalthebeln globaler Macht fernzuhalten. Sämtliche Institutionen der amerikanischen Ära, die als Steuerzentralen dieser Macht fungieren – vom UN-Sicherheitsrat und IWF bis zu G7 und NATO – werden ihre Türen für sie öffnen müssen, wenn sie in der zunehmend multipolaren Welt nicht in die Bedeutungslosigkeit absinken und aller Legitimation verlustig gehen wollen. Weder Europa noch Amerika werden sich dem auf lange Sicht widersetzen können, denn das hieße, sich die Feindschaft mächtiger potenzieller Bündnispartner zuzuziehen und im selben Zug sich den Zugang zu den größten Märkten der Welt zu verbauen.

Ebendarum ist das – auf beiden Seiten des Atlantiks anzutreffende – selbstbezogene Starren auf die Beziehung zwischen EU und Amerika wenig hilfreich. Das Gebot der historischen Stunde lautet vielmehr, diese aufstrebenden neuen Mächte in ein System internationaler Beziehungen zu integrieren, in dessen Wertekatalog die Dreiheit von Demokratie, Menschenrechten und offenen Märkten den ersten Platz einnimmt. Mit der radikalen Unterscheidung zwischen demokratischen und nichtdemokratischen Staaten wäre weltpolitisch gesehen ein entschiedener Schritt in diese Richtung gemacht. Die Politologen Ivo Daalder und James Lindsay, die unter Bill Clinton dem Nationalen Sicherheitsrat angehörten, haben sich für die Gründung einer »Allianz demokratischer Staaten« ausgesprochen, deren Mitglieder auf allen Politikfeldern – von der Terrorbekämpfung bis zum Stopp der globalen Erwärmung – zusammenarbeiten würden.[6] Als Gegenleistung für die Einhaltung demokratischer Standards würde den Mitgliedern unbeschränkter Marktzugang gewährt: »Wie die Aussicht auf die Mitgliedschaft in der NATO und der Europäischen Union das Gesicht Europas verändert hat, so könnte die Aussicht auf die Mitgliedschaft in der Allianz demokratischer Staaten der Welt ein neues Gesicht geben.«[7] Die Vorstellung einer neuen Staatsallianz unter amerikanischer Führung, die keine Rücksicht auf regionale Gruppierungen nimmt, wäre für die übrige Welt nicht akzeptabel. Der Gedanke jedoch, die Partizipation an globaler Macht von den politischen Verhältnissen im Inneren eines Landes abhängig zu machen, zieht ersichtlich die Nutzanwendung aus der europäischen Erfolgsstory, eine Lehre, die enorme Konsequenzen auch für die Reform der Vereinten Nationen, der G8 und der Welthandelsorganisation haben könnte.

Wir müssen uns allerdings klarmachen, dass es nicht damit getan wäre, einfach nur ein paar Stühle mehr für neue Teilnehmer an die Konferenztische der globalen Institutionen zu stellen, also beispielsweise Brasilien, Indien oder Südafrika mit einem Sitz im UN-Sicherheitsrat zu bedenken. Das würde nicht ausreichen, um die globalen Institutionen vor dem Absinken in die Bedeutungslosigkeit zu bewahren. Das Instrumentarium dieser Institutionen ist für eine Weltordnung gemacht, die sich um Staaten herum gruppiert; gegenwärtig gehen aber die Gefahren, die der Welt beziehungsweise großen Teilen von ihr drohen, zu einem erheblichen Teil von Terroristen, bewaffneten Milizen und dem Verhalten großer Unternehmen aus.

Das Erstarken des Individuums

Die grausigen Bilder des entfesselten Völkermords in Ruanda, im Kosovo und im Sudan sagen uns, dass etwas nicht in Ordnung ist mit einer internationalen Ordnung, die das Recht des einzelnen Staates, von militärischer Aggression verschont zu bleiben, höher stellt als das Recht seiner Bürger auf Leben. Und der 11. September hat uns gelehrt, den Einzelnen nicht immer nur als das Opfer, sondern auch als Bedrohung zu sehen. Wenn eine Gruppe von nicht mehr als 19 Personen mit einem Kostenaufwand, der unter dem Preis eines Kampfpanzers liegt, ein solches Maß an Schmerzen, Leid und Zerstörung in die Welt bringen kann, müssen wir uns ernsthaft fragen, ob wir den richtigen Begriff von Sicherheit haben.

Der große Erfolg des ausgehenden 20. Jahrhunderts besteht darin, dass es die Wahrscheinlichkeit von Kriegen zwischen Staaten stark reduziert hat. Die Institutionen der amerikanischen Weltordnung waren darauf ausgerichtet, die größte Bedrohung unserer Sicherheit zu eliminieren: Andere Länder wurden davon abgehalten, sich mit militärischen Mitteln in unsere inneren Angelegenheiten einzumischen. Doch im 21. Jahrhundert gehen viele der größten Bedrohungen weder von Staaten aus noch richten sie sich direkt gegen Staaten: Sowohl ihr Ursprung als auch ihr Ziel sind Individuen mit der für das Zeitalter der Globalisierung typischen Mobilität. Die Invasion von Armeen haben wir heute weit weniger zu fürchten als Terroranschläge, die globale Erwärmung, die Ausbreitung von Krankheiten wie Aids oder durch »ethnische Säuberungen« ausgelöste Massenmigrationen. Dank der Verbreitung von Demokratie und Menschenrechten rund um den Globus, dank Billigreisen und der Teleskopsicht weltweit operierender öffentlich-rechtlicher und privatwirtschaftlicher Medien, die uns fremdes Leid direkt ins Wohnzimmer liefern, ist die Öffentlichkeit nirgendwo mehr sicher vor der Wahrnehmung von Katastrophen in fernen Weltgegenden.

Um der neuen, durch die Globalisierung bedingten Bedrohungen Herr werden zu können, müssen Staaten sich in die »inneren Angelegenheiten« anderer Staaten »einmischen«: mit ihnen weltweit verbindliche Höchstwerte für die Emission von Treibhausgasen aushandeln, ihnen geheimdienstliche Erkenntnisse über Terroristen zuleiten oder verdächtige Personen ausliefern, bewaffnete Milizen vom Genozid abhalten und Kriegsverbrecher für ihre Gewalttaten zur Rechenschaft ziehen. Aber viele Länder halten noch immer an einer internationalen Ordnung fest, deren Zweck die Verhinderung von Kriegen zwischen Staaten ist, und ebenso an einer UN-Charta, nach der die Intervention im Kosovo illegal war.

Die Vereinigten Staaten sehen ein, dass die Organisation, die sie geschaffen haben, mit ihren Möglichkeiten am Ende ist, aber der Weg, auf dem sie uns aus der Zwangslage lotsen wollen, führt genau in die falsche Richtung. Die »Bush-Revolution« ist in vieler Hinsicht eher eine Gegenrevolution – ein Versuch, die Uhr der Geschichte zurückzudrehen auf eine Zeit der Nationalstaaten. John O'Sullivan, der Herausgeber der *National Review* hat darauf hingewiesen, dass Bill Clinton dabei gewesen war, eine außenpolitische Position auszuarbeiten, zu deren Grundsätzen es gehörte, sich den Problemen der Globalisierung zu stellen, die Aktivitäten von Nichtregierungsorganisationen für wichtig zu halten und ernst zu nehmen, für eine humanitäre Intervention in Bosnien und im Kosovo einzutreten und sich für das Völkerrecht und den Internationalen Strafgerichtshof starkzumachen (welch Letzterer ja ursprünglich eine Idee der Amerikaner war).

Binnen Monaten hat George W. Bush sein Möglichstes getan, um diesen Trend umzukehren. In Hunderten offizieller Ansprachen und Reden gebrauchte er nicht ein einziges Mal das Wort »Globalisierung«. Laut Richard Clarke, Bushs ehemaligem Antiterror-Berater, vermochte er vor dem 11. September 2001 für das Thema Terrorismus kein sonderlich großes Interesse aufzubringen. Und selbst nach den Anschlägen bezeichnete Bush in seinem Begleitschreiben zu der neuen Nationalen Sicherheitsstrategie als deren Hauptziel immer noch »die Bekämpfung von Terroristen und Tyrannen«. Das heißt im Klartext: Wenn man Tyrannen wie Saddam Hussein oder die Taliban beseitigt, rottet man den Terrorismus aus, denn kein Staat wird es riskieren, Terroristen Unterschlupf zu gewähren. Aus dieser festen Gedankenverbindung zwischen Tyrannei und Terrorismus, geht klar hervor, dass man nicht Individuen – deren Aktionen vielleicht überhaupt nicht mit Belangen irgendeines Volkes oder Staates zusammenhängen –, sondern der altbekannten Bedrohung durch »Schurkenstaaten« die größte Bedeutung beimisst. Mit dem »Krieg gegen den Terror« will man Staaten das Fürchten lehren, die Terroristen Unterschlupf gewähren, tut aber nichts zur Beseitigung der Ursachen, die Menschen überhaupt erst veranlassen, Terroristen zu werden.

Wie der Teufel zum Weihwasser verhält sich die Bush-Administration zu der Möglichkeit, dass internationale Abkommen und Institutionen ihre Handlungsfreiheit beschneiden könnten. Die Unbelehrbarkeit, die sie in Sachen Terrorismus an den Tag legt, setzt sich fort in ihrem Widerstand gegen internationale Klimaschutzabkommen, das Haager Tribunal und die Reduzierung oder auch nur Begrenzung des eigenen nuklearen Potenzials. Manche der hierbei mitspielenden Befürchtungen sind nicht ganz unbegründet. So können, um nur ein Beispiel zu nennen, Staaten, die niemals eigene Truppen ins Ausland entsenden, mit Leichtigkeit einem internationalen Strafgerichtshof das Wort reden, während die USA damit rechnen müssen, dass gegen Mitglieder ihrer Streitkräfte politisch motivierte Prozesse lanciert werden. Aber statt Vorschläge zu machen, wie die vom Rest der Welt entwickelten Instrumente und Maßnahmen verbessert werden könnten, geht die gegenwärtige US-Regierung lieber auf Abstand und tut ihr Möglichstes, um sie zum Scheitern zu bringen.

Mit seiner derzeitigen Haltung schadet Amerika letztendlich den eigenen Interessen. Es ist sinnlos, die Existenz von Bedrohungen zu leugnen, die keineswegs von Staaten ausgehen, indem man die Verantwortung für sie bestimmten Staaten in die Schuhe schiebt. Auf diesem Weg ist nichts gegen den Terrorismus und ebenso wenig gegen die globale Erwärmung oder Aids auszurichten: Sie werden weiterhin Amerikas Sicherheit bedrohen. Und hauptsächlich auf die eigene militärische Schlagkraft zu setzen, wenn es um die Lösung weltpolitischer Probleme geht, wird auf die Dauer zu nichts führen. Der wichtigste Grund, warum Amerika sich mit der neuen Weltordnung wird anfreunden müssen, ist jedoch der, dass die übrige Staatenwelt sie in jedem Fall einführen wird. Wenn die Amerikaner sich den einschlägigen Verhandlungen verweigern, berauben sie sich selbst der Möglichkeit, gestaltend einzugreifen und ihre Interessen zur Geltung zu bringen.

Dem Widerstand der Amerikaner zum Trotz kann die Europäische Union mit gutem Beispiel vorangehen, wenn es jetzt darum geht, eine Ordnung einzuführen, die Einzelpersonen höhere Priorität einräumt als Staaten. In den 1980er-Jahren wurde der Kommunismus in Osteuropa ein Stück weit zermürbt von Dissidenten, die unter Berufung auf die Schlussakte von Helsinki von den Staatsorganen die Achtung der Menschenrechte und Grundfreiheiten einforderten. Heute sind der Europäische Gerichtshof und der Europäische Gerichtshof für Menschenrechte potenzielle Vorbilder für die nächste Generation internationaler Justizorgane. Aufgrund der Erfahrung mit dem Kosovo sollten wir uns für eine Neufassung der UN-Charta starkmachen, die der Völkergemeinschaft unter anderem die »Verpflichtung zum Schutz« der Bürger vor Genozid auferlegt. Die Europäische Union setzt ihre Wirtschaftskraft ein, um die Einrichtung neuer Institutionen zu beschleunigen, indem sie für die Gewährung von Entwicklungshilfe und Marktzugang die Unterzeichnung des Kyoto-Protokolls beziehungsweise die Anerkennung des Internationalen Strafgerichtshofs zur Bedingung macht.

Wir sollten unsere Fähigkeit, solche Wandlungen zu vollbringen, ebenso wenig überschätzen wie unsere Legitimation zu derlei Unternehmungen. Ebendarum müssen wir für diese Ziele die Unterstützung regionaler Organisationen gewinnen.

Das Erstarken der Regionen

Bezugspunkte der amerikanischen Weltordnung sind die Nationalstaaten – jedoch leben wir in einer Zeit, in der Regionen zu neuen Einheiten zusammenwachsen. Die Vereinigten Staaten verfügen weder über die Mittel, als Weltpolizist zu agieren, noch wollen sie es, und vielerorts in der Welt möchte man lieber selbst für sich sorgen, indem man sich zu einem regionalen Verband zusammenschließt, dessen Mitglieder auf wirtschaftlichem Gebiet und in Sicherheitsbelangen zusammenarbeiten.

In einer im August 2004 vor einer Kriegsveteranen-Organisation in Cincinnati, Ohio, gehaltenen Rede kündigte Präsident Bush die Verlagerung von US-Truppenstandorten in Europa und Asien an; sein Plan sieht vor, 60000 bis 70000 Soldaten hauptsächlich aus Standorten in Deutschland und Südkorea abzuziehen und in die USA zurückzuverlegen.[8] Das bedeutet eine Anerkennung des spätestens seit dem 11. September offenkundigen Sachverhalts, dass die schwersten Bedrohungen amerikanischer Sicherheitsinteressen ihren Ursprung nicht mehr in Europa, sondern im Nahen Osten und in Zentralasien haben.

Anerkennung fand darin aber auch die Tatsache, dass die Europäer endlich Anstalten machen, die Verantwortung für ihre Sicherheit selbst zu übernehmen. Als in den 1990er-Jahren auf dem Balkan die Hölle losbrach, waren die Europäer zur Bewältigung der Situation auf die Hilfe der Amerikaner angewiesen. Aber nach der unerfreulichen Erfahrung, dass sie in Bosnien und im Kosovo von den Amerikanern abhängig waren, bauten die Europäer schließlich zusätzliche militärische Fähigkeiten auf. Die eindrucksvollste Versinnbildlichung der neuen Selbstständigkeit war die Übertragung der Friedensmission in Bosnien von der NATO-Stabilisierungstruppe SFOR an die EU-Stabilisierungstruppe EUFOR am 2. Dezember 2004.

Vergleichbare Entwicklungen finden auch in anderen Weltgegenden statt. Als 1999 unter dem Terror pro-indonesischer Milizen und des indonesischen Militärs in Osttimor die zivile

Ordnung zusammenbrach, wurden zunächst australische und nicht amerikanische Truppen dorthin verlegt, damit sie das Chaos in der Inselprovinz beendeten und die Rückkehr zur Ordnung einleiteten. In Afrika wurde eine größtenteils aus Afrikanern zusammengesetzte UN-Friedensmission in den Kongo geschickt und nach Bujumbura, der Hauptstadt von Burundi, eine Mission unter südafrikanischer Führung; die nach Sierra Leone entsandte UN-Mission rekrutiert sich zu einem Drittel aus Afrikanern. Amerikanische Macht ist zur Bewältigung mancher globaler Probleme immer noch unentbehrlich, das gilt von Nordkorea bis Afghanistan. Aber bei den mehr und mehr auf die Bedrohungen des eigenen Landes sich verengenden Sicherheitsinteressen der US-Regierung werden die anderen Regionen sich zunehmend in eigener Verantwortung um ihre Belange kümmern müssen.

Wie wir im nächsten Kapitel noch genauer sehen werden, verhilft die regionale Integration den einzelnen Staaten wie auch der Region im Ganzen zu größerer Flexibilität im Umgang mit Problemen. Das hat aber auch Auswirkungen auf die Weltordnung. Während wir einer Welt der Regionen entgegengehen, droht Amerika zurückzubleiben. Ihr ideologisch verfestigter Unilateralismus hat die Vereinigten Staaten gehindert, mit einer Erweiterung der Nordamerikanischen Freihandelszone (NAFTA) in ihrer Region und auf ihre Weise den Erfolg der EU zu wiederholen, obgleich der NAFTA-Partnerstaat Mexiko dies beharrlich forderte. Die militärische Interventionen der USA in Haiti, Venezuela oder Kolumbien haben nicht viel gemein mit dem von breiter Zustimmung getragenen Engagement, das man an den Grenzen der EU beobachten kann. Und während das aufbegehrende Volk in Georgien und der Ukraine den Anschluss an Europa sucht, streben vergleichbare Volksbewegungen in Venezuela und Bolivien ebenso wie radikale neue Regierungen in Uruguay, Brasilien und Argentinien nach mehr Unabhängigkeit von der Hegemonialmacht USA.

Auf dem Weg in die postamerikanische Welt

Die amerikanische Hegemonie trägt den Keim der Selbstzerstörung in sich, und ihre bis vor kurzem noch sehr lautstarken Wortführer rudern inzwischen schon zurück.

Das Grundübel ist, dass Washington sich mit seiner Zielvorstellung von Selbstverteidigung bei gleichzeitiger Verbreitung von Demokratie und Menschenrechten aus einem System zwischenstaatlicher Beziehungen gelöst hat, innerhalb dessen dieses Ziel überhaupt nur zu erreichen wäre. Während des Kalten Krieges lag seine Verwirklichung in den Händen zwischenstaatlicher Institutionen wie NATO und UN, und die USA nutzten ihre Macht zu deren Kontrolle. Heute jedoch wirkt die Macht der USA diesen Kräften entgegen, statt sich gleichsinnig mit ihnen zu bewegen. Der Irakkrieg fand statt, obwohl die öffentliche Meinung der ganzen Welt gegen ihn war, und der Krieg gegen den Terror wird ohne die Legitimation geführt, die ihm aus einem institutionalisierten Mitspracherecht der Verbündeten bei Entscheidungen über die Strategie zuwüchse. Militärische Gewalt kann zum Guten wirken; sie hat es in Bosnien, im Kosovo und in Afghanistan getan. Bestimmt auftretende Diplomatie kann ebenfalls Wirkung zeigen; sie hat das im Umgang mit Libyen seit dem Lockerbie-Anschlag gezeigt. Doch solange die USA die Ausübung ihrer Macht nicht durch die Bindung an ein System zwischenstaatlicher Beziehungen regulieren lassen, wird die amerikanische Außenpolitik nirgendwo eine widerstandsfähige freiheitlich-demokratische Ordnung auf die Beine stellen, sondern lediglich eine Reihe von Pyrrhussiegen erringen.

Vielen Amerikanern sagt ihre Vernunft, dass ihr Land Verbündete braucht, und sie haben bereits angefangen, ihren machtpolitischen Alleingang anzuzweifeln. In den letzten Jahren haben die USA es verstanden, das europäische Projekt zu beeinträchtigen, indem sie den Kontinent in einen »alten« und einen »neuen« Teil spalteten und europäischen Initiativen wie beispielsweise dem Internationalen Strafgerichtshof Steine in den Weg legten. Am meisten schaden die Amerikaner mit derlei antieuropäischen Kapriolen allerdings dem eigenen Land. Nie war ihnen Europa wertvoller als heute: Die Internationale Sicherheitsbeistandstruppe (ISAF) in Afghanistan hat derzeit (Sommer 2006) eine Gesamtstärke von rund 20 000 Soldatinnen und Soldaten aus 37 Nationen; Deutschland stellt mit nahezu 3000 Bundeswehrangehörigen rund 15 Prozent. Mit dem Iran verhandeln Vertreter der EU über das umstrittene Atomprogramm des Landes. Neben ihrem diplomatischen Einfluss nutzt die EU ihre Handels- und Investorenbeziehungen, um in der arabischen Welt die Demokratisierung zu fördern. Und in Israel und den Palästinensergebieten werden die Maßnahmen, die den Rückzug aus dem Gazastreifen ermöglichen, mit Geldern aus der EU finanziert.

Auf lange Sicht wird die wachsende Macht Chinas und Indiens zusammen mit der aktiveren Rolle, die diese zwei Länder dann in der Weltpolitik spielen werden, dafür sorgen, dass die Vereinigten Staaten wieder zum richtigen Verständnis für die Wichtigkeit, ja Unentbehrlichkeit des Völkerrechts und der zwischenstaatlichen Institutionen finden. Die USA werden zwar auch dann noch der mächtigste Staat auf dem Globus sein und bleiben, aber ihre Macht wird im Verhältnis zu der anderer Staaten abnehmen, und sie werden mit ihrer militärischen Stärke nicht mehr das Verhalten der anderen Großmächte beeinflussen können.

Die Europäische Union steht vor der Herausforderung, ein neues System zwischenstaatlicher Beziehungen zu schaffen, das auf die Gestaltungskraft der Rechtsstaatlichkeit setzt und den drei großen Verschiebungen in der Weltpolitik angepasst ist. Ziel dabei muss nicht sein, die USA an der Verfolgung ihrer Selbstverteidigungsstrategie zu hindern, wie viele meinen, sondern ihren Maßnahmen einen Rahmen zu geben, der auf die Bewältigung globaler Herausforderungen statt ausschließlich auf nationale Sicherheit angelegt ist. Viel dringender als isolationistische Vereinigte Staaten braucht Europa »proaktive«, d. h. dass sie dank voraus schauender Initiative für alle Eventualitäten gewappnet sind. Wir werden uns auch ohne die Kooperation des größten Umweltverschmutzers auf dem Planeten weiterhin um den Klimaschutz bemühen. Obwohl wir Europäer eine neue Einstellung zur Verteidigung entwickeln, werden wir weiterhin auf die militärische Unterstützung der Amerikaner angewiesen sein. Und mit der Macht der USA im Rücken haben wir die besseren Chancen, unsere Vision von einer Welt, in der Recht und Gesetz regieren, zu verwirklichen.

Die Europäer beschreiten mit ihrer Außenpolitik einen konstruktiveren und friedlicheren Weg als George W. Bush mit seinem Krieg gegen den Terror und werden deshalb wohl mit mehr Erfolg beim Rest der Welt um solidarische Mithilfe beim Lösen der globalen Probleme werben. Sobald dieser europäische Weg zu handfesten Ergebnissen geführt hat, werden die Amerikaner ein weiteres Mal Raymond Arons Analyse bestätigen und aus ihrer Isolation hervorkommen – diesmal, um den Europäern bei der Sicherung und Verankerung einer neuen Weltordnung zu helfen.

KAPITEL 11
Der regionale Dominoeffekt

Hugo Chávez ist nicht gerade der umgänglichste Typ. Der einstige Fallschirmjäger scheiterte 1992 mit einem Putsch gegen Präsident Pérez, mischte dann aber mit seiner »Bewegung für eine Fünfte Republik« (Movimiento V [Quinta] Republica) im Wahljahr 1998 die politische Szene Venezuelas auf und wurde von den Armen, Unterprivilegierten und Schwachen, denen er eine Änderung ihrer Lebensbedingungen zum Besseren versprochen hatte, zum Staatspräsidenten gewählt. Während turbulenter Jahre im Amt überstand er ein von der Opposition erwirktes Amtsenthebungsverfahren, einen Putschversuch, zwei wiederum von der Opposition angezettelte Generalstreiks und 2004 ein Referendum zur Amtsenthebung. Im Dezember 2006 wurde er mit großer Mehrheit wieder gewählt. Chávez ist nie davor zurückgeschreckt, sich Feinde zu machen. Der Populist an der Spitze des Landes, das zu den fünf größten Erdölproduzenten der Welt zählt, teilt Hiebe nach allen Seiten aus: Die Manager der Ölgesellschaften »feiern in ihren Luxusbungalows whiskyselige Orgien«, die Katholische Kirche »wandelt nicht auf dem Weg Christi«, die Medien »stehen im Sold der Reaktion«, und die Vereinigten Staaten »bekämpfen den Terror mit Terror«.[1] Indes ist da immerhin eine Sache, die den uneingeschränkten Beifall des zum Politiker mutierten Militärs hat, und das ist Mercosur, der »Gemeinsame Markt im südlichen Lateinamerika« (Mercado Común del Cono Sur).

Nachdem er zehn Jahre lang Beitrittsgesuche des Landes abgelehnt hatte, nahm der Mercosur am 8. Juli 2004 endlich mit Venezuela das Gespräch über eine Assoziation auf (gleichzeitig auch mit Kolumbien, Mexiko und Ecuador). Kommt es zum Beitritt, bedeutet dies, dass Venezuelas neue enge Wirtschaftsbeziehungen zu Argentinien und Brasilien (einschließlich der Verdoppelung des Handelsvolumens im ersteren und der Verdreifachung im letzteren Fall) einen sichernden institutionellen Rahmen erhalten. Chávez jubelte: »Auf unseren Schiffen, Ölleitungen, Medikamenten und sonstigen Waren wollen wir ein ›Made in Brazil‹ oder ›Made in Argentina‹, kein ›Made in the USA‹ mehr sehen.«[2] Hinter Chávez' Beitrittswunsch steht allerdings mehr als der überspannte Antiamerikanismus, der das venezolanische Staatsoberhaupt dazu trieb, freundliche Beziehungen zum Kuba des Fidel Castro und zum Irak des Saddam Hussein aufzunehmen: Er beruht auf der Erkenntnis, dass der Mercosur für die Zukunft Südamerikas bald von höchster Bedeutung sein wird.

Die regionale Integration lief in Lateinamerika an, als die Regierungsspitzen der Großstaaten der Region auf die gewaltigen Fortschritte aufmerksam wurden, die der Errichtung des gemeinsamen Marktes in Europa folgten. Die Anfänge des Zusammenschlusses erwuchsen aus dem Bemühen, die problematischen Beziehungen zwischen Brasilien und Argentinien zu entschärfen, schließlich standen die beiden noch in den 1970er-Jahren in einem atomaren Wettrüsten gegeneinander. Was als bilaterale Initiative der zwei Länder begonnen hatte, wurde unter Einbeziehung von Paraguay und Uruguay am 26. März 1991 in dem Vertrag von Asunción besiegelt, der Gründungsurkunde des Mercosur; zu den vier Gründungsmitgliedern gesellten sich im Lauf der Zeit Chile (1996), Bolivien (1997) und Peru (2003) als assoziierte Staaten. Als Ausgangsbasis für die Inangriffnahme weiterer Integrationsziele der Gemeinschaft nennt der Vertrag von Asunción die Schaffung eines gemeinsamen Marktes, der die makroökonomische und sektorale Politik zwischen den Mitgliedsstaaten koordiniert, darunter die Außenhandels-, Agrar-, Industrie-, die Fiskal-, Geld-, Wechselkurs- und Kapitalmarktpolitik. Außerdem sagen alle Mitglieder zu, ihre Gesetzgebung in den betreffenden Bereichen zu harmonisieren, um den wirtschaftlichen und politischen Integrationsprozess zu fördern. Die institutionelle Struktur des Mercosur ist in etwa nach dem Vorbild der Europäischen Union gestaltet. Der Rat des Gemeinsamen Marktes (Consejo del Mercado Común, CMC) setzt sich aus den Außen- und Wirtschaftsministern der Mitgliedstaaten zusammen. Im Ratsvorsitz wechseln die Mitglieder einander alle halbe Jahre in alphabetischer Reihenfolge ab.[3]

Schon in den ersten Jahren ihres Bestehens erzielte die Gemeinschaft beeindruckende Erfolge. Am 1.1.1995 war, in Übereinstimmung mit dem Vertrag von Asunción, die Vorgabe des zollfreien Verkehrs von Gütern innerhalb des Mercosur zu einem Großteil realisiert. Die Schaffung der Freihandelszone konnte damals trotz bestehender, sukzessive abzubauender Ausnahmeregelungen als vollendet betrachtet werden. Zudem hatten sich die Mitgliedsstaaten auf einen gemeinsamen Außenzoll und einen gemeinsamen Zollkodex verständigt. Der durchschnittliche Abgabensatz für Drittländer fiel von 37,2 Prozent im Jahr 1985 auf einen Tiefstand von 11,5 Prozent im Jahr 1994. Das Resultat: Der Handel innerhalb des Gemeinschaftsgebiets boomte: Das Volumen stieg in dem Zeitraum 1990–1997 von 4,1 Milliarden auf 20,7 Milliarden US-Dollar an. Wichtiger noch: Direktinvestitionen strömten nur so herein; der Pegelstand kletterte von 2 Milliarden US-Dollar im Jahr 1991 auf 56,6 Milliarden im Jahr 1999.[4] Konzerne wie Nestlé und Unilever reorganisierten ihre Tätigkeit auf regionaler Basis dergestalt, dass nun die einzelnen Produkte komplett in einer einzelnen Fertigungsstätte in der Region hergestellt werden. Kfz-Konzerne wie Renault und Peugeot-Citroën, die sich schon fast ganz aus der Region zurückgezogen hatten, investierten in neue Produktionsbetriebe. Und auch die Japaner hielten Einzug auf dem Mercosur-Gebiet.

Die Errichtung des Mercosur hat der Region einen Platz auf der Landkarte der weltweit tätigen Unternehmen gesichert. Als ihren größten Erfolg kann die Gemeinschaft vielleicht die Rolle verbuchen, die sie als Hüterin und Festigerin der Demokratie im südlichen Lateinamerika spielt. Nachdem Brasilien und Argentinien mitgeholfen hatten, in Paraguay die anhaltenden innenpolitischen Spannungen nach einem im Frühjahr 1996 gescheiterten Putschversuch zu entschärfen, legte der Mercosur am 24. Juli 1998 in dem »Protokoll von Ushuaia über die Demokratie« fest, dass nur demokratische Staaten Mitglied der Gemeinschaft werden und bleiben können – eine Regelung, die verhindern soll, dass lateinamerikanische Länder wieder zurück in die Diktatur fallen. Das 21. Jahrhundert begann für die Gemeinschaft allerdings nicht besonders gut. Durch den Wirtschaftskollaps in Argentinien sowie die Währungs- und anschließende Energiekrise in Brasilien wurde der Mercosur erheblich geschwächt. Doch die inzwischen in Gang gekommene Erholung der brasilianischen und der argentinischen Wirtschaft führt mit einer Dynamik, die sich durch den absehbaren Beitritt von Venezuela, Kolumbien, Mexiko und Ecuador noch steigern wird, den Mercado Común del Cono Sur auf den Weg zurück, auf dem er sich zu guter Letzt zu einer Gemeinschaft entwickeln wird, die sich ohne Vermessenheit das Ziel setzen darf, ganz Südamerika zu integrieren.[5]

Was sich in Lateinamerika ereignet, ist kein Einzelfall. Auf dem Schwarzen Kontinent gibt es seit 2001 die Afrikanische Union, die Nachfolgeorganisation der OAU (Organisation of African Unity, »Organisation der Afrikanischen Einheit«), von der sie die Aufgabe übernommen hat, die 1991 beschlossene Afrikanische Wirtschaftsgemeinschaft zu verwirklichen. Auf Nahostgipfeln ist von der Möglichkeit einer Arabischen Union die Rede. Ostasiatische Staaten sind in der ASEAN (Association of South East Asian Nations) und der SCO (Shanghai Co-operation Organization), südasiatische in der SAARC (South Asian Association for Regional Cooperation) zusammengeschlossen. Im asiatisch-pazifischen Raum gibt es die APEC (Asian-Pacific Economic Cooperation). Und Nordamerika hat als Gegengewicht zum wachsenden europäischen Binnenmarkt die NAFTA (North American Free-Trade Area) und die Free Trade Area of the Americas ins Leben gerufen.

Während globale Institutionen wie die Vereinten Nationen, der Internationale Währungsfonds und die Weltbank nach wie vor Spielball der Großmächte sind, erweisen sich die regionalen Zusammenschlüsse bereits als gewinnbringender Fortschritt. Die Afrikanische Union entsandte 2004 eine 4000 Mann starke Friedenstruppe in die sudanesische Krisenregion Darfur, während der Weltsicherheitsrat seine Kraft in einer fruchtlosen Debatte über die Frage verschliss, ob die von arabischen Reitermilizen in Darfur verübten bestialischen Übergriffe gegen die lokale Bevölkerung den Tatbestand des Genozids erfüllten oder nicht. Im pazifischen Raum entwickelt sich die APEC zum Motor einer Kampagne für den freien Fluss der Waren und Investitionen zwischen den 21 Staaten der Region.[6] In der arabischen Welt denkt man an die Umwandlung der Arabischen Liga in eine Arabische Union, mit Parlament, Einheitswährung und was sonst dazugehört, um dem in puncto Arabisches Freihandelsabkommen, Arabischer Währungsfonds und Islamische Entwicklungsbank bisher Erreichten weitere Fortschritte folgen zu lassen.

Betrachten wir alle diese Entwicklungen zusammen, sehen wir eine Welt der Regionen heraufziehen. In der Kooperation, die ihnen realen Nutzen bringt, werden die Nationalstaaten ihre Souveränitätsrechte sukzessive mit dem jeweiligen regionalen Verbund teilen und so jenes *pooling of sovereignty* nachvollziehen, für das die Europäische Union bahnbrechend gewirkt hat.

Angesichts des rasanten Aufstiegs von Großmächten wie China und Indien fragen sich viele nach den Folgen für die gegenwärtige Weltordnung. Gewiss wird diese Entwicklung die »unipolare Welt« infrage stellen, wie sie von den Präferenzen der Amerikaner und der Europäer, also von einer Menschengruppe, die nicht einmal zehn Prozent der Weltbevölkerung ausmacht, geprägt wurde. Aber eine noch größere Bedrohung für den »historischen Augenblick der Unipolarität« geht von der Tatsache aus, dass es eine rund um den Globus – von Brasilien und Mexiko über Nigeria und Südafrika bis nach Südkorea und Japan – verlaufende Kette weiterer Länder gibt, die sich nicht mehr damit abfinden wollen, mit Europa und Amerika jeweils auf bilateraler Basis zu verhandeln und dabei stets die ihrer schwachen Position geschuldeten Ergebnisse hinnehmen zu müssen.

Diese Länder haben sehr genau beobachtet, wie die Europäer es hingekriegt haben, Kleinstaaten die Möglichkeit geben, ihr Schicksal auf der Weltbühne in unverhältnismäßig höherem Grad selbst zu bestimmen, als es ihrem Kapital, ihrer militärischen Stärke und ihrer Bevölkerungszahl entspricht. Sie haben gesehen, dass ein regionaler Zusammenschluss mithelfen kann, uralte Erbfeindschaften und Spannungen zwischen Völkern zu begraben, dass er die Demokratie zu fördern und die Integration der Länder in die Weltwirtschaft zu beschleunigen vermag, und dass er bei grenzüberschreitenden Problemen – von der organisierten Kriminalität bis zur Umweltverschmutzung – den Betroffenen helfen kann, gemeinsam eine Lösung zu finden. Der Erfolg der Europäischen Union hat den Geist des Regionalismus aus der Flasche befreit, und der lässt sich durch nichts und niemanden wieder hineinsperren. Dieser neue Regionalismus kennt keine einander bekriegenden autarken Blöcke: Den Mitspielern in dieser Liga geht es um weltweiten Fortschritt, regionale Sicherheit und offene Märkte für ihre Mitgliedstaaten. Und mit den je verschiedenen Konstellationen, die sich in den einzelnen Regionen ergeben, werden sie einen geballten Einfluss auf die Weltordnung ausüben.

Vor nahezu 500 Jahren erfand Europa mit dem Nationalstaat den bislang in der Weltgeschichte effektivsten Typus des Gemeinwesens. Im Gefolge von Kriegen und Eroberungszügen verbreitete er sich wie ein Virus, löschte Weltreiche, Stadtstaaten und Feudalherrschaften aus, bis er schließlich im 20. Jahrhundert der einzige noch verbliebene Typus politischer Ordnung war. Da den Nationalstaaten am wohlsten war, wenn sie mit anderen Nationalstaaten zu tun hatten, sahen sich andere Typen politischer Ordnung vor eine klare Alternative gestellt: Sie mussten entweder selbst zum Nationalstaat werden oder wurden von einem geschluckt. Ende des 20. Jahrhunderts konnten nur Nationalstaaten in der großen Politik mitmischen.

In der zweiten Hälfte des 20. Jahrhunderts machten sich die Europäer an die Runderneuerung dieses Modells. Angesichts des zunehmenden weltpolitischen Gewichts der Europäischen Union und ihrer Ausweitung bis zur Dominanz über einen ganzen Kontinent sehen sich andere Staaten wieder einmal vor eine klare Alternative gestellt: entweder der EU beitreten oder selber am Aufbau eines Staatenverbunds mitarbeiten, der auf dieselben Grundsätze schwört, also Unverletzlichkeit des Völkerrechts, die Angelegenheiten der anderen auch als die eigenen Angelegenheiten betrachten und umgekehrt, Friede als politischer Imperativ. Am Ende des 21. Jahrhunderts wird nur der noch mitmischen können, der einem regionalen Staatenverbund angehört. Darum bilden Staaten, die sich weltpolitischen Einfluss bewahren wollen, Zusammenschlüsse auf regionaler Ebene. Dieser »regionale Dominoeffekt« hat schon begonnen, unsere politischen und ökonomischen Begriffe zu verändern und auch dem Begriff der Macht für das 21. Jahrhundert eine gänzlich neue Bedeutung zu geben.

Die Welt, die da im Werden ist, wird sich nicht um ein Zentrum drehen, weder um die Vereinigten Staaten noch um die Vereinten Nationen, sondern sie wird eine Gemeinschaft von interdependenten regionalen Staatenverbänden sein. Der Umstand, dass supranationale Politik in Afrika ihre wichtigste Aufgabe in der Erhaltung des Friedens sieht, spiegelt zweierlei wider: erstens, dass kriegerische Konflikte in dieser Region das größte Entwicklungshemmnis sind, und zweitens den starken Wunsch, für die Lösung afrikanischer Probleme nicht mehr auf westliche militärische Hilfe angewiesen zu sein. Die von den ASEAN-Staaten im Jahr 2000 unternommene »Chiang-Mai-Initiative« zur Gründung eines asiatischen Währungsfonds stellt den Versuch dar, ein eigenes Bollwerk gegen schädliche Spekulationen am Finanzmarkt zu errichten, damit betroffene Staaten künftig nicht mehr gezwungen sind, sich an den Internationalen Währungsfonds zu wenden. Zwar ist derzeit die Kreditvergabe im Rahmen der Chiang-Mai-Initiative grundsätzlich noch an IWF-typische Konditionen gekoppelt: Nur 20 Prozent der kurzzeitig benötigten Finanzspritzen werden ohne Bedingungen vergeben. Auf mittlere Sicht ist jedoch aller Voraussicht nach mit einer Änderung der Konditionen zu rechnen, welche diese notorisch mit Kapital überschwemmte Region vollends aus der Abhängigkeit von IWF und Weltbank befreit. Für Lateinamerika haben Wirtschaftsexperten errechnet, dass der Kontinent über genügend Reserven verfügt, um ebenfalls mit jeder Krise (sofern es sich nicht gerade um den Totalkollaps der brasilianischen Wirtschaft handelt) ohne Hilfestellung seitens des IWF fertigwerden zu können.[7]

All diesen Initiativen gemeinsam ist das Bemühen, die »unipolare Welt« hinter sich zu lassen. Kein Staat möchte sich noch länger von Supermächten oder seiner Kontrolle entzogenen globalen Institutionen bevormunden lassen. In der Welt der Zukunft wird keiner mehr eine Supermacht sein müssen, um seine Identität und seine Souveränität bewahren zu können. Doch es wird auch keiner massenhaft Menschenrechtsverletzungen begehen oder Genozid verüben und sich dann das UN-Prinzip der »Nichteinmischung in die inneren Angelegenheiten«[8] als Bitte-nicht-stören-Schild an die Haustür hängen können.

Die Rolle der Europäischen Union bei der Installation der neuen Weltordnung

Gäbe es die regionalen Staatenverbände noch nicht, man müsste sie auf der Stelle erfinden. Sie erstarken derzeit unaufhaltsam und mit atemberaubender Geschwindigkeit. Doch wenngleich diese Welt sich ganz von selbst herausbildet, kann Europa mithelfen. Nach dem Zweiten Weltkrieg beschleunigten die Amerikaner die Entstehung der Europäischen Union, indem sie die wirtschaftliche Zusammenarbeit der europäischen Staaten zur Vorbedingung für die Auszahlung von Aufbaukrediten aus dem Marshallplan machten. Sie machten die europäische Integration zu einer politischen Realität, indem sie wechselseitige Sicherheitsvereinbarungen nicht bilateral mit den einzelnen Staaten trafen, sondern dafür das Organ der NATO schufen.

Die EU könnte in gleicher Weise verfahren. Als größter Entwicklungshelfer der Welt könnte die Union die Kooperation auf regionaler Ebene vorantreiben, indem sie die Vergabe von Hilfsgeldern mit Auflagen wie regionale wirtschaftliche Integration, Inangriffnahme regionaler Infrastrukturprojekte oder Leistung eines Sicherheitsbeitrags durch regionale Organisationen verbindet. Einen Schritt in diese Richtung machte die EU, als die Europäische Kommission im November 2003 die African Peace Facility einrichtete, über die die Afrikanische Union mit der nötigen Finanzkraft für militärische Friedensmissionen ausgestattet werden soll.[9] Zudem sollte die EU ihre Position als größter Markt der Welt dazu nutzen, Fortschritte in Welthandelsgesprächen an die Beseitigung von Handelsbarrieren zu knüpfen. Und mit ihrem zunehmenden Mitspracherecht in der Weltpolitik sollte sie die Bedeutung des Dialogs zwischen den Regionen aufwerten. Statt dicke Geschäfte mit China, Südafrika und Brasilien auszuhandeln, sollten wir unseren Ehrgeiz darauf richten, bei EU-Mercosur-, ASEM- und EU-AU-Gipfeln zukunftsweisende Beschlüsse zuwege zu bringen.

Fernziel der Europäischen Union sollte es sein, eine Union der Unionen zu schaffen, die alle regionalen Verbindungen unter ein Dach bringt, so wie die europäische Einigungsbewegung zunächst die Europäische Wirtschaftsgemeinschaft (EWG), die Europäische Gemeinschaft für Kohle und Stahl und die Europäische Atomgemeinschaft (EURATOM) unter den einen Hut der Europäischen Gemeinschaft (EG) brachte. Eine »Gemeinschaft der regionalen Entitäten« könnte zum Koordinationsorgan Nummer eins der Vereinten Nationen werden. Als solches würde sie den Sicherheitsrat und die Vollversammlung nicht unbedingt überflüssig machen, aber das Forum der regionalen Zusammenschlüsse wäre selbstverständlich der geeignetste Ort für die Beschäftigung mit den zwei dringlichsten Aufgaben auf der globalen Agenda, nämlich Entwicklung und Friedenssicherung.[10]

Aus unseren Erfahrungen mit der Europäischen Union haben wir gelernt, dass man den Aufbau einer neuen politischen Ordnung nicht mit dem großen Schritt eines Verfassungsentwurfs beginnt, sondern indem man Interesse an einer Zusammenarbeit zur Lösung der dringlichsten staatenübergreifenden Aufgaben und Probleme weckt. Ist erst einmal eine Reihe von einander partiell überlappenden Interessengemeinschaften geschaffen, die in Fragen des Handels, der Nichtverbreitung von Kernwaffen, der Wirtschaftsentwicklung, Bekämpfung weltweiter Krankheiten und der Verhinderung von Staatszerfall nach einem gemeinsamen Weg suchen, ist es nicht unwahrscheinlich, dass sich irgendwann einmal auch die Möglichkeit ergibt, sie alle in einer geschlosseneren politischen Organisation zusammenzuführen.[11]

Mit zunehmender Dynamik der Regionalisierung werden sich auch die Vereinigten Staaten dem Sog, der von dem Integrationsprozess ausgeht, nicht länger entziehen können. Sie werden diesen Prozess allenfalls verlangsamen, aber nicht mehr stoppen können. Sollten sie sich ihm entgegenstemmen, schaden sie sich damit selbst, denn das wird regionale Vereinigungen veranlassen, sich gegen sie zusammenzuschließen. Sagen sie jedoch Ja zu ihm, steigern sie damit ihre Macht und betätigen sich im selben Zug als Geburtshelfer der heraufziehenden neuen Weltordnung. Mit dem Fortschreiten dieses Prozesses werden wir die Geburt eines »Neuen Europäischen Jahrhunderts« erleben. »Europäisch« nicht weil die EU dann eine imperiale Weltherrschaft ausüben würde, sondern weil die Welt sich den europäischen Politikstil zu eigen gemacht haben wird.

ANHANG

Die 109 Länder der Eurosphäre

Neben den 25 Mitgliedsstaaten und den 4 Beitrittskandidaten Bulgarien, Rumänien, Kroatien, Türkei gehören folgende Länder zur Eurosphäre:

Westbalkanländer (4)
Albanien
Bosnien und Herzegowina
(Ehemalige Jugoslawische Republik) Makedonien
(Staatenbund) Serbien und Montenegro

Europäischer »Commonwealth of Independent States« (8)
Armenien
Aserbaidschan
Georgien
Kasachstan
Moldawien (Moldau)
Russland
Ukraine
Weißrussland (Belarus)

Naher Osten und Nordafrika (19)
Ägypten
Algerien
Bahrain
Irak
Iran
Israel
Jemen
Jordanien
Katar (Qatar)
Kuwait
Libanon
Libyen
Marokko
Oman
Palästinensische Autonomiegebiete
Saudi-Arabien
Syrien
Tunesien
Vereinigte Arabische Emirate

Subsaharische Länder Afrikas (49)
Äquatorialguinea
Äthiopien
Angola
Benin
Botswana
Burkina Faso
Burundi
Djibouti (Dschibuti)
Elfenbeinküste
Eritrea
Gabun
Gambia
Gana (Ghana)
Guinea-Bissau
Kamerun

Kap Verde
Kenia
(Union der) Komoren
(Demokratische Republik) Kongo
Lesotho
Liberia
Madagaskar
Malawi
Mauretanien
Mauritius
Mayotte (Mahoré)
Mosambik (Mozambique)
Namibia
Niger
Nigeria
Ruanda
Sambia
São Tomé und Principe
Senegal
Seychellen
Sierra Leone
Simbabwe
Sudan
Südafrika
Swasiland
Tansania
Togo
Tschad
Uganda
Zentralafrikanische Republik

Anmerkungen

Einleitung

1 Bill Emmot, *Vision 20/21*, London: Penguin, 2003.
2 Francis Fukuyama, »The Unipolar Moment«, *Foreign Affairs*, Winter 1990/91.
3 Joseph Nye hat mehrere Bücher über »weiche« und »harte« Machtfaktoren veröffentlicht, u. a. *Soft Power: The Means to Success in World Politics* (2004), *Das Paradox der amerikanischen Macht. Warum die einzige Supermacht der Welt Verbündete braucht* (2003) und *Bound to Lead: The Changing Nature of American Power* (1990).
4 David Calleo, »Power and Deficit Spending«, *The National Interest*, Sommer 2003.
5 Ebd.
6 Die Europäische Zentralbank hat auf ihrer Website eine faszinierende Untersuchung der wirtschaftlichen, monetären und finanziellen Beziehungen zwischen diesen – von ihr in ihrer Gesamtheit als »Euro-Zeitzone« bezeichneten – Ländern und der EU veröffentlicht: Francesco Mazzaferro, Arnaud Mehl, Michael Sturm, Christian Thimann, Adalbert Winkler, *Economic Relations with Regions Neighbouring the Euro Area in the »Euro Time Zone«*, December 2002 (Occasional Paper Series, Nr. 7). Im Internet abrufbar unter http://www.ecb.int/pub/scientific/ops/author/html/author332.en.html.
7 Ich danke meinem Kollegen Richard Youngs, der in seinem Buch *Sharpening European Engagement* (London: The Foreign Policy Centre, 2004) »verwandelnde Kraft« als ein wesentliches Attribut Europas behandelt hat.
8 Jeremy Rifkin, *Der europäische Traum*, Frankfurt/M., New York: Campus, 2004.

Europas unsichtbare Hand

1 Mark Mazower, *Dark Continent: Europe's Twentieth Century*, London: Penguin, 1999.
2 »*Nous espérons vaguement, nous redoutons précisément; nos craintes sont*

infiniment plus précises que nos espérances.« Paul Valéry, »Note (ou l'européen)« [Nachbemerkung zu zwei erstmals in der Londoner literarischen Wochenschrift *Athenaeum*, Nrn. 4641 (11.4.1919) und 4644 (2.5.1919) abgedruckten Briefen], *Œuvres*, hrsg. von Jean Hytier, Paris: Gallimard (Éditions de la Pléiade), Bd. 1, S. 988–1014.

3 Der Vorschlag des französischen Außenministers Robert Schuman vom 9. Mai 1950 ist ausführlicher behandelt in: Dick Leonard, Mark Leonard, *Pro-European Reader*, London: Palgrave Macmillan, 2002.

4 François Duchêne, *Jean Monnet: The First Statesman of Interdependence*, New York, London: Norton, 1994.

5 Ebd.

6 Ebd.

7 Adam Smith, *An Inquiry into the Nature and Causes of the Wealth of Nations*, 1776. Dt.: *Der Wohlstand der Nationen. Eine Untersuchung seiner Natur und seiner Ursachen*, München: Deutscher Taschenbuch Verlag, 1999.

8 Ich danke Ana Palacio für diese suggestive Metapher.

9 Vaughne Miller, *EC Legislation*, London: House of Commons Library, 2004 (Standard Note SN/IA/2888).

10 Neil Nugent, *The Government and Politics of the European Union*, Basingstoke: Palgrave Macmillan, [5]2003.

11 Department of Trade and Industry, *Review of the Implementation and Enforcement of EC Law in the UK* (1994 Efficiency Scrutiny Report). Die Zahlen schwanken von Ministerium zu Ministerium auf breiter Skala. Nach Angaben aus dem Unterhaus betrug der Anteil in der Sitzungsperiode 2003/04 ein Prozent beim Bildungsministerium, 10 Prozent beim Arbeitsministerium, 20 Prozent beim Innenministerium, 25 Prozent beim Wirtschaftsministerium und beim Ministerium für Unwelt, Ernährung und Landwirtschaft.

12 Siehe Anm. 10.

13 http://www.bruxelles.irisnet.be/de/region/region_de_bruxelles-capitale/territoire_et_population.shtml

14 John Humes Rede bei der Entgegennahme des Preises am 10.12.1998 ist nachzulesen unter http://cain.ulst.ac.uk/events/peace/docs/nobeljh.htm.

15 Siehe Anm. 4.

»Vereint wir vergehn, getrennt wir bestehn«

1 Stand der Daten: 30. September 2004; aktuellster verfügbarer Stand abrufbar unter http://www.visa.de.

2 M. Mitchell Waldrop, »The Trillion-Dollar Vision of Dee Hock«, *Fast Company*, Oktober/November 1996, S. 75.
3 Darauf wies als erster Manuel Castells im dritten und letzten Band seiner visionären *Information Society* (*The End of Millenium*) hin.
4 Martin Westlake, *The Council of the European Union*, London: John Harper Publishing, 1999.
5 Siehe Anm. 10 zu Kap. 1.
6 Ebd.
7 Einen guten einführenden Überblick über die Organe der Europäischen Union und ihre Funktionsweise gibt: Dick Leonard, *The Economist Guide to the European Union*, London: Profile, [9]2004.
8 Henry Kissinger prägte diese dann berühmt gewordene Formel.
9 Philip Bobbit, *The Shield of Achilles: War, Peace, and the Course of History*, London: Penguin, 2003.
10 Ebd.
11 Eingehender erörtert diesen Aspekt: Paul Kennedy, *The Rise and Fall of the Great Powers*, London: Fontana, 1988.
12 *The Postmodern State and the World Order* (2000) ist im Internet abrufbar unter http://www.fpc.org.uk.
13 Richard Rosecrance, »The European Union: A New Type of International Actor«, *Paradoxes of European Foreign Policy*, hrsg. von Jan Zielonka, Dordrecht: Kluwer, 1998.
14 Walter Russell Mead, »America's Sticky Power«, *Foreign Policy*, März/April 2004.
15 Quentin Peel, *Financial Times*, 12. März 2003.
16 In aller Ausführlichkeit dargelegt in: Robert Kagan, *Macht und Ohnmacht. Amerika und Europa in der neuen Weltordnung*, Berlin: Siedler, 2003 (Taschenbuchausg. München: Goldmann, 2003).

Europas Waffe: das Recht

1 Harlan K. Ullman und James P. Wade, *Shock and Awe: Achieving Rapid Dominance*, Washington D.C.: National Defense University Press, Dezember 1996.
2 Jessica Mathews, »A New Approach: Coercive Inspections«, *Irak: A New Approach* (Washington, D.C.: Carnegie Endowment for International Peace, August 2002; Dokument abrufbar unter http://www.ceip.org/files/publications/iraq/mathews.htm).
3 Vgl. Michel Foucault, *Überwachen und Strafen. Die Geburt des Gefängnisses*, übs. von Walter Seitter, Frankfurt am Main: Suhrkamp, [3]1979 (stw 184), darin: »Der Panoptismus«, S. 251–292.

4 Siehe Anm. 4 zu Kap. 1.
5 John Mearsheimer, »Back to the Future«, *International Security*, Bd. 15, H. 1 (Sommer 1990).
6 *Conventional Armed Forces in Europe (CFE Treaty)*, »Fact Sheet« des US Department of State, Bureau of Arms Control vom 18. Juni 2002 http://www.state.gov/t/ac/rls/fs/11243.htm). Ergänzend: *Der Vertrag über »Konventionelle Streitkräfte in Europa«. Stand: 18.02.2003*, Webpage des Auswärtigen Amts, URL: http://www.auswaertiges-amt.de/www/de/aussenpolitik/friedenspolitik/abr_und_r/kse/index_html.
7 Sehr gut ausgeleuchtet ist dieser Aspekt in: Robert Cooper, *The Breaking of Nations*, London: Atlantic Books, 2004.
8 Zitiert nach dem Artikel »Kopenhagener Kriterien« der Online-Enzyklopädie Wikipedia; http://de.wikipedia.org/wiki/Kopenhagener_Kriterien.
9 »President Obasanjo Chairs NEPAD Peer Review Forum (Feb 2004)«, State House Abuja, Office of Public Communications.
10 Sie ist Teil des Vortrags »Politik als Beruf«, den Max Weber 1919 an der Münchener Universität hielt. Abgedruckt in: M. W., *Gesammelte politische Schriften*, hrsg. von Marianne Weber (1921), S. 396–450 (397).

Die systemverändernde Kraft des passiven Angriffs

1 Siehe Stephen Kinzer, »Will Turkey Make It?«, *New York Review of Books*, 15. Juli 2004; Amanda Akcakoca, »Turkey's Accession to the EU: Time for a Leap of Faith«(Kommentar auf der Website des European Policy Centre, 23. Juni 2004) http://www.theepc.net/en.
2 Damit verhält sie sich so, wie der Soziologe Ulrich Beck die Aktivität des globalen kapitalistischen Systems beschreibt – wie überhaupt vieles, was Beck über die umwälzende Wirkung jener Form von Macht zu sagen hat, die das global operierende Kapital ausübt, *mutatis mutandis* auch für die von der EU ausgeübte Macht gilt. Im Zusammenhang eines an der London School of Economics gehaltenen Vortrags über die Dynamik der Macht in einer globalisierten Wirtschaft äußerte Beck die Ansicht, dass die Weltwirtschaft heute »Metamacht« ausübt, eine Macht, die das Wesen des Machtgebrauchs in internationalen Beziehungen selber zu verändern in der Lage ist. Die neue »Metamacht« der globalen Wirtschaft basiert – ebenso wie der Einfluss der EU – auf der Drohung mit dem Rückzug. Zum Thema »Metamacht« vgl. auch Ernst-Otto Czempiel, »Die Welt im 21. Jahrhundert: Eine Welt ohne Feinde«, *Der Spiegel*, Jg. 54, Nr. 43 (23. Okt. 2000).

3 William Blum, *Killing Hope: US Military and CIA Interventionism Since World War II*, Monroe, ME: Common Courage Press, 1995. Eine aktualisierte Liste der Interventionen liefert Zoltán Grossman unter http://www.uwec.edu/grossmzc/peace.html (»From Wounded Knee to Iraq: A Century of U. S. Military Interventions«).

4 »U. S. Support for ›Plan Colombia‹«, abrufbar von der Website des Center for Information Policy; URL: http://www.ciponline.org/facts/coaid.htm.

5 Der nach offizieller Darstellung »von der kolumbianischen Regierung« entwickelte »Plan Columbia« ist im Internet abrufbar auf der Website des US-Außenministeriums unter http://www.state.gov/p/wha/rls/fs/2001/1042.htm.

6 Jean de La Fontaine (S. 1621–1695), »Der Landmann und seine Kinder«

Arbeitet, mühet euch ums Brot,
Das wird als bester Schatz euch dienen.
Ein reicher Landmann, der sich nahen fühlt' den Tod,
Rief seine Kinder, und allein sprach er zu ihnen:
»Nehmt euch in Acht, dass ihr verkaufet nicht das Gut,
Das uns die Eltern hinterlassen,
Weil's einen Schatz soll in sich fassen.
Ich weiß den Ort nicht recht, doch mit ein wenig Mut
Wird er zu finden sein; ihr werdet bald ihn haben.
Gleich nach der Erntezeit mögt ihr den Acker graben.
Stecht um und hackt und grabt und lasset keinen Ort,
Den ihr durchwühlt nicht fort und fort.«
Der Vater starb, die Schar der Söhne aber wendet
Den Acker um und um, dass, als das Jahr beendet,
Er mehr als je zuvor eintrug.
Nicht an verborgenem Geld. Es war der Vater klug,
Der sie belehrt zur letzten Frist,
Was für ein Schatz die Arbeit ist.

7 Siehe das in Anm. 7 zur Einleitung genannte Paper von Francesco Mazzaferro u. a.

8 Mit den Staaten des westlichen Balkans wurde jeweils ein Stabilisierungs- und Assoziierungsabkommen geschlossen, mit Russland und den GUS-Staaten ein Partnerschafts- und Kooperationsabkommen, mit den Mittelmeeranrainerstaaten eine Europa-Mittelmeer-Partnerschaft (»Barcelona-Prozess«) und mit afrikanischen Ländern die Partnerschaftsabkommen von Laounde, Lomé und Cotonou.

9 Siehe Anm. 13 zu Kap. 2: »Vereint wir vergehn, getrennt wir bestehn«

Die europäische Art der Kriegführung

1 Die Kapitelüberschrift habe ich mir von dieser interessanten Aufsatzsammlung geborgt: Steven Everts, Lawrence Freedman, Charles Grant, François Heisbourg, Daniel Keohane und Michael O'Hanlon, *A European Way of War*, London: Centre for European Reform, 2004.
2 »Srebrenica Timeline« (in den Nachrichten der BBC vom 20. Februar 2003), im Internet nachzulesen unter http://news.bbc.co.uk/1/hi/world/europe/675945.stm.
3 Brendan Simms, *Unfinest Hour: Britain and the Destruction of Bosnia*, London: Penguin, 2002.
4 Michael Howard, *The Invention of Peace and Reinvention of War*, London: Profile Books, 2002.
5 Carl von Clausewitz, *Vom Kriege* (S. 1832–1834), Frankfurt am Main, Berlin, Wien: Ullstein, 1980 (Ullstein Buch 35051).
6 Sie fand ihren Widerhall in den Äußerungen anderer prominenter europäischer Politiker, so in der Rede, die Bundesaußenminister Fischer am 27. Juni 2002 vor dem Bundestag im Rahmen der Debatte über die transatlantischen Beziehungen hielt und in der er u. a. sagte: »… es wird wichtig sein, dass wir Europäer unsere eigene Sicht der Dinge in die Welt des 21. Jahrhunderts einbringen, dass wir auch zum Beispiel unseren breiteren, nicht militärisch verengten, sondern die ganze Gesellschaft umfassenden Ansatz in der Sicherheitspolitik einbringen, dass wir die Fragen der ökologischen, ökonomischen, sozialen oder kulturellen Entwicklung einbeziehen, wie wir es auf dem Balkan gemacht haben und wie wir es in Afghanistan im Begriff sind zu tun. Diese Dinge müssen wir als Europäer in der internationalen Politik des 21. Jahrhunderts durchsetzen.«
7 Giegerich, Bastian, und William Wallace, »Not Such a Soft Power: The External Deployment of European Forces«, *Survival* 46 (2004), S. 163–182.
8 Fred Tanner, »Operation Artemis. Richtungsmodell künftiger EU-Friedenseinsätze?«, *Allgemeine Schweizerische Militärzeitschrift*, Februar 2004. Artikel im Internet abrufbar unter http://www.gcsp.ch/e/about/News/Faculty-articles/Newspaper-articles/Tanner_ASMZ.pdf.
9 Diese Zahlen gab der britische Außenminister Jack Straw in einer »Failed and Failing States« betitelten Rede an, die er am 6. September 2002 im European Research Institute der University of Birmingham hielt.
10 Wie der ehemalige schwedische Ministerpräsident Carl Bildt in der *Financial Times* vom 16. Januar 2004 unter der Überschrift »We must build states not nations« sehr treffend ausführte.
11 Siehe Anm. 1 zu Kap. 5.
12 Ebd.
13 Ebd.

14 Anatol Lieven, »Soldiers Before Missiles: Meeting the Challenge from the World's Streets«, *Policy Brief* 1/4 (Washington, D.C.: Carnegie Endowment for International Peace, April 2001; PDF-Download unter http://www.carnegieendowment.org/publications/.
15 Freedman in: Everts u.a. 2004 (siehe Anm. 1 zu Kap. 5).
16 O'Hanlon in: ebd.
17 Ebd.
18 Entsprechende Beschlüsse wurden auf dem Helsinki- und dem Göteborg-Gipfel (1999 bzw. 2001) gefasst. Quellen der angegebenen Zahlen sind u.a.: Andrew Moravcsik, »How Europe Can Win without an Army«, *Financial Times*, 3. April 2003; und: Everts u.a. 2004 (siehe Anm. 1 zu Kap. 5).

Der Stockholm-Konsens

1 Die 2003 ermordete schwedische Außenministerin Anna Lindt erzählte mir einmal, dass sie als Kind ihre Mickey-Mouse-Hefte in großen gebundenen Büchern zu verstecken pflegte – als ob es sich um Pornographie handelte –, damit die Eltern sie nicht dabei erwischten, wie sie sich mit derlei kapitalistischen Kinkerlitzchen die Zeit vertrieb.
2 Donald Storrie, »The Growth and Regulation of Contingent Employment in Sweden«, *Contingent Employment in Europe and the United States*, hrsg. von O. Bergström und Donald Storrie, Cheltenham (Glos, UK): Edward Elgar, 2003.
3 Charles Leadbater versichert glaubhaft, dass in seinen zur baldigen Veröffentlichung anstehenden Artikeln »Adaptive Social Democracy« und »The Helsinki Spirit« der Geist von Helsinki zu plastischer Anschauung kommen wird.
4 Alasdair Murray, *The Lisbon Scorecard IV: The Status of Economic Reform in the Enlarging EU*, London: Centre for European Reform, 2004.
5 In einer Reihe »revisionistischer« Darstellungen der Wirtschaftsgeschichte der 1990er Jahre wird dies unverblümt ausgesprochen; beachtenswert sind vor allem: Will Hutton, *The World We're In*, London: Little, Brown, 2002; Olivier Blanchard, *European Growth over the Coming Decade*, Paper, September 2003, abrufbar unter http://econ-www.mit.edu; der Beitrag von John Kay in *Economic Reform in Europe – Priorities for the next five years*, hrsg. von Roger Liddle und Maria João Rodrigues, London: Policy Network, 2004; Phillippe Legrain, »Europe's Mighty Economy«, *New Republic*, 16. Juni 2003; Kevin Daly, »Euro-Zone Economy Holding Its Own Compared to Achievements in the US«, *Irish Times*, 26. Juni 2004.

6 Vanessa Fuhrmans, Sarah Lueck und John McKinnon, »Corporations Making Workers Pay More for Health Care As Ranks of Poor Grow (Profits for Bosses Come First«, *Wall Street Journal*, 27. August 2004.
7 »Mirror, Mirror on the Wall: Europe v. America«, *The Economist*, 19. Juni 2004.
8 Ebd.
9 Kevin Daly verwendet einen gesamtwirtschaftlichen Produktivitätsmaßstab. Demgegenüber suggerieren die gewöhnlich für die USA (ohne Berücksichtigung der Landwirtschaft) genannten betriebswirtschaftlichen Produktivitätsdaten ein rascheres Wachstum, denn lässt man zwei große Sektoren mit niedrigem Produktivitätswachstum (den landwirtschaftlichen und den öffentlichen) unter den Tisch fallen, schlägt das Produktivitätswachstum der übrigen Wirtschaft natürlich umso höher zu Buch.
10 Adair Turner legte das in einem Vortrag mit dem Titel »What's Wrong with the European Economy« klar, den er am 10. Februar an der London School of Economics hielt.
11 Siehe den OECD-Beschäftigungsausblick 2004. Die englische Version des einschlägigen Kapitels 1 kann eingesehen werden unter http://www.oecd.org/document/.
12 Mein Kollege Keith Didcock nannte diese Zahlen in dem Papier, das er auf der Prague Castle Conference 2004 (Thema: »Can Europe Sharpen Its Blunt Competitive Edge?«) zur Diskussion stellte. Der Abschlussbericht über die Konferenz ist abrufbar unter http://fpc.org.uk/events/past/166.
13 Siehe Anm. 8 zur Einleitung.
14 Siehe Anm. 4.
15 Siehe Anm. 8 zur Einleitung.
16 Ebd.
17 »Revitalising Old Europe«, *The Economist*, 13. März 2003.
18 Das Ärgerliche ist, dass in der Vergangenheit viele Regierungen mit Frühverrentungsprogrammen die Arbeitslosenzahlen gedrückt haben. Vor die Notwendigkeit der Kostensenkung gestellt, verlocken auch Unternehmen gern ihre ältesten Mitarbeiter zum vorzeitigen Eintritt in den Ruhestand. Die Folge davon: Abweichend vom gesetzlichen beträgt das tatsächliche Renteneintrittsalter männlicher Arbeitnehmer in der EU durchschnittlich 60 (statt der gesetzlichen 65) Jahre (in Griechenland arbeiten nur 20 Prozent der Arbeitnehmer bis zum Alter von 65).
19 Lt. gemeinsamem Bericht der Europäischen Kommission und des Rats (EPSCO/Ecofin; vom Rat am 6./7. März 2003 genehmigt) über angemessene und tragbare Renten.
20 Siehe das in Anm. 6 zur Einleitung genannte Paper von Francesco Mazzaferro u. a. Zwar beträgt der Anteil dieser 51 Länder am globalen BIP

insgesamt nur 4 Prozent, und in der Regel ist ihre Bindung an den Euro auch durch ihre geografische Lage bedingt (wie bei den Westbalkanländern, Montenegro und dem Kosovo), oder sie gehören zur west- und zentralafrikanischen Franc-Zone, aber wie dem auch sei – es kommen immer wieder neue hinzu.

21 »Environmental protection, environmental energy technology in Sweden« (Juni 2004); abrufbar unter http://www.decoster-dialogue.se.

22 Siehe den »International Energy Outlook 2003« der Energy Information Administration des US-Energieministeriums: www.eia.doe.gov.

23 »The Internal Market, Ten Years without Frontiers«, Rede von Frits Bolkestein (EU-Kommissar für den Binnenmarkt, Steuern und die Zollunion) auf einer Pressekonferenz am 7. Januar 2003; einsehbar und abrufbar unter http://europa.eu.int/rapid/pressReleasesAction.

24 *The Economic Impact of Enlargement*, Brüssel: European Commission (Enlargement Papers, Nr. 4), Juni 2001. PDF-Download unter http://europa.eu.int/comm/economy_finance/publications/enlargement_papers/enlargementpapers04_en.htm.

25 Kanada bleibt unberücksichtigt, weil es nur für 3 Prozent des G7-BIP steht.

26 China wird laut Schätzung Deutschland spätestens im Jahr 2007, Japan 2015 und die USA 2041 überholen. Indien könnte Japan im Jahr 2032 eingeholt haben. Mit keinem der vier – nach ihren Anfangsbuchstaben so genannten – BRICs wird sich irgendein westeuropäisches Land nach 2036 in puncto ökonomische Leistungsbilanz noch messen können. Von den heutigen G6-Staaten werden dann nur noch die USA und Japan zu den sechs größten Wirtschaftsmächten der Erde zählen.

27 Michael Hume, John Dew und Sila Sepping, *Building the New Europe*, New York: Lehman Brothers, 2004; eine Zusammenfassung ist erhältlich, Anforderung per E-Mail an: globalec@lehman.com.

28 Robert Gordon, *Two Centuries of Economic Growth: Europe Chasing the American Frontier*, London: Centre for Economic Policy Research, Juni 2004 (Discussion Paper Nr. 4415); in elektronischer und gedruckter Form bestellbar unter http://www.cepr.org/pubs/dps/DP4415.asp.

Die Rettung der einzelstaatlichen demokratischen Systeme durch die EU

1 Alan S. Milward, *European Rescue of the Nation State*, London: Routledge, 1994.

2 Eine ungemein fesselnde entgegengesetzte Einschätzung der demokratischen Legitimierung der EU bietet: Simon Hix, *The Political System of the European Union*, Basingstoke: Palgrave Macmillan, 1999.

3 Andrew Moravcsik, »In Defense of the ›Democratic Deficit‹: Reassessing Legitimacy in the European Union«, *Journal of Common Market Studies* 40 (2002), S. 607.
4 Ebd.
5 Siehe den in Anm. 2 genannten Titel.
6 Philip Gould, »The Empty Stadium«, *Progressive Politics* 2/3 (2003).
7 Lars Bevanger, »Norway's EU debate re-surfaces«, BBC News (online), 1. Mai 2003; http://news.bbc.co.uk/1/hi/world/europe/2991833.stm.
8 Die in Norwegen um die Möglichkeit einer EU-Vollmitgliedschaft geführte Debatte polarisiert sich zusehends. Viele Stimmen rufen nach dem EU-Beitritt, andere fordern zum Verlassen der EWR auf, denn alle sind sich einig darin, dass der Status quo nicht länger aufrechtzuerhalten ist. Norwegen ist lediglich deshalb nicht der EU beigetreten, weil es seine Agrarsubventionen, die über dem von der EU-Agrarpolitik erlaubten Niveau liegen, nicht herabsetzen will. So ist es nur natürlich, dass die norwegischen Bauern stramme EU-Gegner sind. Seine Subventionspolitik kann sich das Land nur dank den hohen Einnahmen aus dem Nordseeöl und -gas erlauben.
9 Näher ausgeführt ist das in Alan Milwards Buch (siehe Anm. 1).
10 Mein früherer Kollege Tom Arbuthnott behandelt diesen Punkt eingehend in seinem hochinteressanten Aufsatz *Is Europe Reviving National Democracy?* (London, The Foreign Policy Centre, 2003; PDF-Download unter http://fpc.org.uk/fsblob/79.pdf).
11 Zu Fragen einer Demokratiereform in Europa siehe Tom Arbuthnott und Mark Leonard (Hrsg.), *European Democracy: A Manifesto*, London: The Foreign Policy Centre, 2004 (PDF-Download unter http://fpc.org.uk/fsblob/219.pdf) sowie Mark Leonard, Network Europe: *The New Case for Europe*, ebd., 2000.
12 Peter Norman, *The Accidental Constitution*, Brüssel: EuroComment, 2003.
13 Ebd.
14 Siehe Anm. 3.

Ein Europa der 50

1 So beginnt Tocquevilles *Deuxième lettre sur l'Algérie* (1837), nachzulesen unter http://www.uqac.uquebec.ca/zone30/Classiques_des_sciences_sociales/index.html.
2 Einer Schätzung zufolge beliefen sich die Kosten der EU-Erweiterung für die Union 2000–2004 auf 67 Milliarden Euro, die Kosten des Irakkriegs für die USA zum Ende dieses Zeitraums auf 200 Milliarden Euro;

siehe Heather Grabbe, *Profiting from EU Enlargement*, London: Centre for European Reform, 2004; PDF-Download: http://www.cer.org.uk/pdf/p254_enlargement.pdf.

3 »Georgia Swears In New President« (BBC-Nachrichten, 25. Januar 2004; http.://news.bbc.co.uk/1/hi/world/europe/3426977.stm).

4 »European Economic Summit« (World Economic Forum, 29. April 2004; http://www.weforum.org/site/knowledgenavigator.nsf).

5 The Middle East Media Research Institute, »Arab Columnists Envy Georgia's Political Revolution: Tbilisi Spring, Arab Winter« (Special Dispatch vom 24. Dezember 2003); nachzulesen und PDF-Download unter http://www.memri.de/uebersetzungen_analysen/themen/liberal_voices.

6 Ebd.

7 The Middle East Media Research Institute, »Arab Media Reactions to The U.S.-Middle East Partnership Initiative Part I: Opponents' Views« (Inquiry and Analysis vom 6. Januar 2003); nachzulesen und PDF-Download unter http://www.memri.de/uebersetzungen_analysen/themen/usa_und_der_nahe_osten/us_initiative_I_06_01_03.html.

8 The Middle East Media Research Institute, »Editor of Leading Egyptian Government Daily Al-Ahram: The U.S. is Dropping Afghanis Genetically Altered Food in Areas Full of Landmines« (Special Dispatch, 26. Oktober 2001); nachzulesen und PDF-Download unter http://www.memri.de/uebersetzungen_analysen/laender/aegypten/egypt_us_afghanistan_26_10_01.html.

9 Edward Mortimer und Francis Ghilès, »The Discreet Intermediary«, *Financial Times*, 28. Oktober 1994.

10 Jan Zielonka zufolge »könnten Globalisierung und Interdependenz die Kontrolle der grenzüberschreitenden Güter-, Kapital-, Dienstleistungs- und Menschenströme unbezahlbar machen … und der Drang zur ›Festung‹ untergräbt den Zusammenhalt, die moralische Aurorität und die internationale Glaubwürdigkeit der EU«. Siehe Jan Zielonka, *Europe Unbound: Enlarging and Reshaping the Boundaries of European Union*, London. Routledge, 2002.

11 »Ein Ring von Freunden« (Leitartikel), *Europe Infos*, hrsg. von der Kommission der Bischofskonferenzen der Europäischen Gemeinschaft, Nr. 55 (Dezember 2003); im Internet nachzulesen unter http://www.comece.org.

12 Im März 2003 veröffentlichte die Europäische Kommission ein faszinierendes Dokument, das gewissermaßen die *road map* für die Umsetzung der Vision vom »Ring befreundeter Staaten« darstellt: *Größeres Europa (Nachbarschaft: Ein neuer Rahmen für die Beziehungen der EU zu ihren östlichen und südlichen Nachbarn*; PDF-Download unter http://europa.eu.int/comm/world/enp/pdf/com03_104_de.pdf.

13 Richard Youngs, »European Policies für Middle East Reform: A Ten Point Action Plan«, London: Foreign Policy Centre, 2004; PDF-Download unter http://fpc.org.uk/fsblob/199.pdf.
14 Siehe R. D. Asmus und K. M. Pollack, »The New Transatlantic Project«, *Policy Review* http://www.policyreview.org/OCT02/asmus_print.html.
15 Chalmers Johnson, »The Arithmetic of America's Military Bases Abroad: What Does It All Add Up To?«, History News Network, 19. Januar 2004; http://www.hnn.us/articles/3097.html.

Brüssel und der Beijing-Konsens

1 Nach dem *CIA World Factbook 2004*: http://www.cia.gov/cia/publications/factbook/geos.
2 Joshua Ramo, *The Beijing Consensus*, London: The Foreign Policy Centre, 2004 (PDF-Download: http://fpc.org.uk/fsblob/244.pdf) – eine brillante Einführung in das neue chinesische Denken.
3 Qing An, »China's Peaceful Rising Spin Doctor's Antidote to China Threat«; http//en.chinabroadcast.cn/1325/2004–4-23/20@106774.htm.
4 In den Reden, die Chinas seinerzeitiger Staatspräsident Jiang Zemin am 1. November 1997 im Sanders Theatre der Harvard University und am 22. Oktober 1999 an der Universität Cambridge hielt, wurde ausführlich die Notwendigkeit eines »Wiederaufstiegs« Chinas erläutert (englischer Wortlaut der Harvard-Rede unter http://www.chinainformed.com/articles/harvardspeech/speech.html; deutscher Wortlaut der Cambridge-Rede: http://www.china.org.cn/Beijing-Review/Beijing/BeijingReview/German/99Nov/bjr99–44g-06.htm).
5 »Jury Out on Effect of WTO«, *China Daily*, 8. November 2002.
6 Frank Ching, »China's Actions Must Match Its Words«, *Business Times* (Singapur), 28. Februar 2004.
7 »Foreign Policy for Regional Stability« (*Beijing-Review*-Reporter Zhou Xinhua interviewt militärischen Berater der chinesischen Regierung Yan Xuetong), *CHINAFRICA.COM*, Dezember 2003; http://www.chinafrica.cn/200352/200352/Cover-200352(C).htm.
8 Paul Krugman, »The Chinese Connection«, *New York Times*, 20. Mai 2005.
9 Siehe Evan S. Medeiros, »China Debates Its ›Peaceful Rise‹ Strategy«, *YaleGlobal* (ein Online-Magazin), 22. Juni 2004; http://yaleglobal.yale.edu/display.article?id=4118.
10 Robert W. Radtke, »China's ›Peaceful Rise‹ Overshadowing US Influence in Asia?«, *Christian Science Monitor*, 8. Dezember 2003; http://www.csmonitor.com/2003/1208/p09s01-coop.html.

11 Cheng-Chwee Kuik, »Multilateralism in China's ASEAN Policy« (Paul H. Nitze School of Advanced International Studies [SAIS], The Johns Hopkins University, SAIS Working Paper Series, hrsg. von Frederic Neumann, Working Paper No. WP/05/03; PDF-Download: http://www.sais-jhu.edu/workingpapers/WP-05–03b.pdf).
12 Auf dem sechsten Asien-Europa-Gipfel (ASEM) im April 2004 im irischen Kildare.
13 Matthew Oresman, »Catching the Shanghai Spirit«, *Foreign Policy* 142 (1. Mai 2004): S. 78.
14 Daniel Sneider, »China's Stunning Ascent«, *San José Mercury News*, 23. März 2004.
15 Wang Jisi, »Machtfaktor China: die strategischen Ziele der Volksrepublik in Asien«, *Internationale Politik* (Bielefeld), Jg. 59 (2004), H. 1: S. 59–66.
16 »Bill Clinton: America Should Lead, Not Dominate« (Tribune Media Services International, 19. Dezember 2002; http://www.iht.com/articles/80709.html).

Das Ende der amerikanischen Weltordnung

1 Raymond Aron, *Die Imperiale Republik. Die Vereinigten Staaten von Amerika und die übrige Welt seit 1945*, Stuttgart: Belser, 1975.
2 Timothy Garton Ash, *Freie Welt: Europa, Amerika und die Chance der Krise*. Aus d. Engl. von Susanne Hornfeck, München: Hanser, 2004.
3 »China to Diversify Foreign Exchange Reserves«, *China Business Weekly*, 5. August 2004; siehe auch Anm. 8 zu Kap. 9.
4 »Indian Foreign Currency Reserves at Record $122 Bln.« (Meldung der Nachrichtenagentur Reuters, 13. November 2004).
5 Siehe David Usborne, »Dire States: Americans Are Used to Resentment of Their Global Dominance«, *The Independent*, 15. Dezember 1996.
6 Siehe Ivo Daalder und James Lindsay, »An Alliance of Democracies«, *The Washington Post*, 23. Mai 2004.
7 Der Philanthrop und Kämpfer für den Schutz der Menschenrechte George Soros hat sich an die Spitze einer Bewegung gesetzt, deren Ziel es ist, bei den Vereinten Nationen eine »Koalition der Demokratien« als vollwertiges Gremium zu etablieren. Damit soll prinzipiell durchgesetzt werden, dass demokratische Staaten in der Organisation einen anderen (und zwar einen höheren) Status genießen als nichtdemokratische. Ein Mitarbeiter von Soros, Thomas Palley, regte in einer interessanten Publikation an, die Mitgliedschaft in dieser Koalition der Demokratien unter die Kriterien aufzunehmen, die ein Entwicklungsland erfüllen muss, um in den Genuss der US-Entwicklungshilfe aus dem Programm

»Konto für die Herausforderungen des neuen Jahrtausends« (Millenium Challenge Account MSA) kommen zu können.

8 »Shake-Up for US Troops Overseas« (BBC-Nachrichten, 17. August 2004; http://news.bbc.co.uk/1/hi/world/americas/3568548.stm).

Der regionale Dominoeffekt

1 »Profile: Hugo Chávez« (BBC-Nachrichten, 16. März 2004; http://news.bbc.co.uk/1/hi/world/americas/3517106.stm).

2 Modesto Emilio Guerrero, »Venezuela's Triumph in Mercosur« (venezuelanalysis.com, 9. Juli 2004; http://www.venezuelanalysis.com/articles.php?artno=1214).

3 Michael Reid, »Mercosur: A Critical Overview« (The Royal Institute of International Affairs (The Chatham House Mercosur Study Group, 18. Januar 2002; http://www.riia.org/pdf/briefing_papers/REID%20paper.pdf.

4 Ebd.

5 Ebd.

6 Kemal Dervis und Ceren Özer, *A Better Globalization: Legitimacy, Governance, and Reform*, Washington, D.C.: Center for Global Development, 2005.

7 Dank an Stephanie Griffith für den Hinweis.

8 Artikel 5 der UN-Charta.

9 Ich danke meinem Kollegen Richard Gowan, der dazu eine detaillierte Untersuchung vorgelegt hat: »The EU, Regional Organisations and Security: Strategic Partners or Convenient Alibis?« (in: *Egmont Paper 3: Audit of European Strategy*, Brüssel: Institut Royal des Relations Internationales/Koninklijk Instituut voor Internationale Betrekkingen, 2004).

10 Ausführlicher behandle ich diese Fragen in Zusammenarbeit mit Richard Gowan in: *Global Europe: Implementing the European Security Strategy*, London: Foreign Policy Centre, 2004; PDF-Download: http://fpc.org.uk/fsblob/187.pdf.

11 Ann-Marie Slaughter, *A New World Order*, Princeton, N.J.: Princeton University Press, 2004).

DANKSAGUNG

Die Gegner Europas mögen der EU die Banalität ihres Erfolges vielleicht nie verzeihen. Aber ich möchte ihn gern feiern, von Europas gelungener Befreiung aus seiner Geschichte erzählen und zeigen, wie die Lektionen daraus dazu beitragen können, ein friedlicheres 21. Jahrhundert zu schaffen. Meine Generation ist die erste von vier in meiner Familie, die nicht mit Krieg, Verfolgung, Exil oder gar Vernichtung konfrontiert worden ist. Dieses Buch ist ein langer Dankesbrief an die Visionäre beiderseits des Atlantiks, denen es gelungen ist, ein Europa ohne diese Dramen zu schaffen.

Es gibt viele Menschen, die das Buch möglich gemacht haben. Zuallererst danke ich für die Unterstützung zweier einzigartiger Institutionen: Der German Marshall Fund of the United States (GMF) unter der Führung seines unermüdlichen und visionären Präsidenten Craig Kennedy stellte mir ein Stipendium und eine Wohnung in Washington für fünf Monate zur Verfügung und öffnete mir die Tür zu einer bemerkenswerten Gemeinschaft von Vordenkern und Aktivisten auf beiden Seiten des Atlantiks. Während meiner Zeit in Washington war die Mannschaft des GMF für mich wie eine Ersatzfamilie, versorgte mich mit Ideen und Kontakten und inspirierte mich durch ihre großartige Fähigkeit, alles Mögliche und Unmögliche zu bewerkstelligen. Ich danke Ronald Asmus, John Audley, Jeff Bergner, Maia Comeau, Mark Cunningham, Abigail Golden-Vazquez, Patricia Griffin, Nicola Hagen, Philip Henderson, Myles Nienstadt, Ellen Pope, Sara Reckless, Kareem Saleh, Jeremiah Schatt, Susan Schechler, Ursula Soyez, Dan Twining und Claudia Chantal Zackariya.

Ich danke dem Vorstand, dem Beirat und der Mannschaft des Foreign Policy Centre dafür, dass ich den Stolz und die Freude erfahren durfte, dieses Zentrum zu gründen und sechs glückliche Jahre lang zu leiten – und für die Unterstützung meiner Arbeit an diesem Buch danach, sogar in der Zeit, als ich in Amerika war. Mein Dank gilt Michael Levy, Liz Lloyd, Adam Lury, Fred Halliday, Meta Ramsay, Michael Butler, Stephen Twigg, Miles Webber und insbesondere Andrew Hood. Ich werde die intellektuelle Kameradschaft meiner Mannschaft immer wertschätzen und danke Lucy Ahad, Greg Austin, Rob Blackhurst, Keith Didock, Richard Gowan, Phoebe Griffith, Rouzbeh Pirouz, Andrew Small und Mark Spokes.

Eine Reihe von Helfern bei den galaktischen Recherchen für dieses Buch waren sowohl intellektuell als auch organisatorisch eine unentbehrliche Stütze in London und in Washington: Conrad Smewing, ohne dessen scharfsichtige Intelligenz und Einsatzbereitschaft dieses Buch nie entstanden wäre; Julian von Fummetti, dessen unerschütterlicher Beistand während meines Washington-Aufenthaltes entscheidend war; Richard Tite, der Material und Einblicke für die wirtschaftlichen Kapitel beisteuerte, sowie Nadia Shabbaz, die gegen Ende des Projekts die Fakten überprüfte und mit Adleraugen zahllose Entwürfe las.

Ich habe Gedanken, die dann zu Kapiteln dieses Buches wurden, in Seminaren vorgetragen und ein unschätzbares Feedback bekommen. Auf der Konferenz des British Council in Prag 2003 haben mich die positiven Reaktionen von Christopher Coker, A. C. Grayling, Hamish McCrae, Sacha Vondra und Michael Zankovsky ermutigt, das Buch zu schreiben. George Lawson, Barry Buzan, Michael Cox, Chris Hill und William Wallace gaben mir wertvolle Ratschläge während eines Seminars der LSE im Februar 2004. Der GMF veranstaltete ein Seminar in Washington, auf dem ich neben freundlicher Kritik viele Ideen erntete, wie ich mein Anliegen einer amerikanischen Leserschaft nahebringen könnte. Auf einer GMF-Konferenz in Dublin konnte ich meine Argumentation weiter ausbauen, nachdem ich an einer Sektion mit dem vorzüglichen Walter Russell Mead teilgenommen hatte. Der British Council und die Europäische Kommission finanzierten eine Konferenz über das »Globale Europa« in Wilton Park, wo meine Ideen von Teilnehmern aus fast allen EU-Mitgliedstaaten, aus den USA und Asien geprüft wurden. Schließlich konnte ich am St. Antony's College in Oxford eine Vorlesung halten auf Einladung von Jan Zielonka und Timothy Garton Ash, zwei der schöpferischsten und überzeugendsten Forscher über die Zukunft Europas.

Ich habe auch von Gesprächen über meine Arbeit profitiert, die ich mit vielen derjenigen Forscher geführt habe, die ich am meisten bewundere: Phillip Bobbitt, Robert Cooper, Ivo Daalder, Daniel Drezner, Espen Barth Eide, Anthony Giddeens, Ulrike Guérot, Fiona Hill, Stanley Hoffman, Rem Koolhaas, Stephen Krasner, Ian Lesser, Anatol Lieven, James Lindsay, Jessica Mathews, Mike McFaul, John Mearsheimer, Andrew Moravcsik, Geoff Mulgan, Joseph Nye, Martin Ortega, Ana Palacio, Bary posen, Richard Rosecrance, Joshua Ramo, Michael von der Schulenburg, Jeremy Shapiro, Radek Sikorski, Jim Steinberg und Fareed Zakaria.

Malcolm Chalmers, Richard Gowan, Charles Grant, Simon Hix, Michael Hume, Philippe Legrain, Alasdair Murray, Andrew Small, Peter Wilson, Richard Youngs und Joshua Ramo lasen einige Kapitel oder das gesamte Manuskript und haben das Buch durch ihre Kommentare immens bereichert.

Bei meiner Arbeit standen drei große Geister Pate: Michael Butler, der mit seiner intensiven Arbeit in Brüssel die heutige EU mitformte, hat mir solide Grundlagen geliefert für dieses wie auch für viele andere Projekte, seit ich ihn durch das Foreign Policy Centre kennenlernte. Geoffrey Edwards, der mich lehrte, wie die Europäische Union, die ich praktisch erfahren habe, theoretisch funktioniert, hat verschiedene Entwürfe gelesen und stand immer für ein Gespräch zur Verfügung. Bill Antholis war der perfekte Partner für den Gedankenaustausch und liebenswürdiger Gastgeber in Washington. Ohne seine Ermutigung wäre dieses Buch wohl nie geschrieben worden.

Meine Agentin Maggie Pearlstine und ihre Kollegin Jamie Crawford haben die Idee sofort begeistert aufgenommen, halfen daraus ein Buch zu entwickeln und haben mit Fourth Estate einen erstklassigen Verlag gefunden, der ein wunderbares Zuhause für das Buch geworden ist. Caroline Michel und Nicholas Pearson haben sofort den Grundgedanken des Buches verstanden, Natasa Kennedy und Andrea Joyce haben beim Verkauf der Rechte in ganz Europa großartige Arbeit geleistet, Robin Harvie bewies eine bemerkenswerte Fähigkeit, meine Ideen auch dort zu verbreiten, wo Bücher über Europa für gewöhnlich nicht hinkommen. Aber vor allem muss ich meiner Lektorin Mitzi Angel danken für ihre Klugheit, Geduld und ihren Einsatz. Sie ist die ideale Lektorin und noch mehr.

Schließlich habe ich meiner Familie zu danken, der dieser Band gewidmet ist. Meine Verlobte Gabrielle, meine Mutter Irène, mein Vater Dick und meine Schwester Miriam sind die Leitsterne in meiner Galaxie. Ihre Liebe, Großzügigkeit und sanfte Kritik machen das Leben zum Geschenk.

REGISTER